La télé cannibale

Michel Lemieux

La télé cannibale

Révision : Marie-Aude Bodin

Illustration de la couverture : Ianna Landry

Typographie, mise en pages, maquette de la couverture : Nicolas Calvé

Direction éditoriale : Colette Beauchamp

C.P. 32052, comptoir Saint-André
Montréal (Québec) H2L 4Y5

Dépôt légal : 4e trimestre 2004

ISBN 978-2-923165-08-0

IMPRIMÉ AU CANADA

Données de catalogage avant publication (Canada)

Lemieux, Michel, 1947-

La télé cannibale

Comprend des réf. bibliogr.
ISBN 978-2-923165-08-0

1. Télévision – Aspect social. 2. Téléspectateurs – Attitudes. 3. Téléspectateurs – Psychologie. I. Titre.

PN1992.6.L442 2004 302.23'45 C2004-941768-1

Nous remercions le Conseil des Arts du Canada de l'aide accordée à notre programme de publication. Nous reconnaissons l'aide financière du gouvernement du Canada par l'entremise du Programme d'aide au développement de l'industrie de l'édition (PADIE) pour nos activités d'édition.

Nous remercions le gouvernement du Québec de son soutien par l'entremise du Programme de crédits d'impôt pour l'édition de livres (gestion SODEC), et la SODEC pour son soutien financier.

Table des matières

Quand le sage montre la lune, l'imbécile regarde le doigt.

Sagesse chinoise

Préface

par Colette Beauchamp

Quand j'ai abordé la lecture de cet ouvrage, son sujet me paraissait intéressant, mais d'une importance toute relative par rapport à d'autres questions que l'on peut se poser sur l'emprise actuelle de la télévision, tant sur les sociétés que sur les individus.

Aujourd'hui, la télévision est sans contredit le média de masse le plus influent en raison de l'existence de réseaux d'information en continu, de canaux spécialisés, et de la multiplication des chaînes offertes, accessibles sur toute la planète. Aussi, l'influence du monopole des ondes par une poignée de consortiums géants à travers le monde ou encore la question des contenus des émissions de télévision dans lesquelles spectacle, violence et voyeurisme font de plus en plus bon ménage, me semblent davantage des sujets de fond à explorer.

Je ne m'étais jamais arrêtée à réfléchir à l'influence que pouvait avoir sur les téléspectateurs de tous âges le fait de passer autant de temps, chaque jour, devant le petit écran — affalés dans leur fauteuil, seuls, en famille ou avec des amis, et avec devant eux, selon l'heure, le repas, une pizza, un bol de chips, de la bière ou des boissons gazeuses.

Je me doutais bien que de longues heures passées devant ce flot ininterrompu d'images syncopées et de sons violents, constamment hachurés par des messages publicitaires insipides et tonitruants, pouvaient rendre les neurones apathiques et avoir quelque influence sur les gens. Je n'ai jamais tout à fait compris que des parents braquent leurs jeunes enfants devant la télé « pour les tranquilliser et avoir la paix » ni que, quotidiennement, on puisse allumer l'appareil sitôt revenu du travail pour ne l'éteindre qu'au moment d'aller au lit, ou devant lequel on s'endormira, ou qu'on aura laissé allumé même pendant le repas ou quand on reçoit des invités. Mais je me disais que c'était une question de choix et de goûts.

Et je dois avouer que, sans être aussi « téléphage », il m'arrive, moi aussi, après une journée de travail harassante, me retrouvant seule à la maison et n'ayant ni l'énergie ni le goût d'entreprendre quoi que soit, de m'écraser pour la soirée devant la télé à regarder des émissions qui m'intéressent peu ou pas du tout. Qui ne l'a pas fait au moins quelques fois machinalement, sans même se demander si c'était là le meilleur moyen de se détendre ?

Quelle ne fut pas ma surprise en lisant *La télé cannibale* ! De page en page, mon étonnement grandissait. Savoir que quantité de gens passent de longues heures devant la télé tous les jours est une chose, mais réaliser que cette activité constitue pour la moyenne des Québécois l'une de leurs trois principales occupations avec le sommeil et le travail en est une autre !

Au début des années 1960, Marshall McLuhan avait eu l'intuition que le médium lui-même était plus important que son contenu. En déclarant que « le médium est le message », il avait saisi la relation entre la télévision et le fonctionnement du cerveau. Dans le présent essai, Michel Lemieux prolonge la réflexion de McLuhan : « Passer des milliers d'heures de sa vie devant la télévision constitue en soi un phénomène social et mental de première importance. » Il évalue la force d'impact de cette activité ainsi que ses résonances sur toutes les [illegible].

Sur un ton persuasif et qui ne manque pas de piquant, l'auteur jette un regard neuf sur ces soi-disant heures de détente passées devant le petit écran, ce loisir quotidien apparemment inoffensif. Observateur attentif, il secoue la conscience et la réflexion de tout lecteur par son analyse décapante des effets produits par le temps passé à regarder la télévision — des effets qui seraient plus importants encore que ceux des contenus des émissions. Des effets pervers, influant entre autres sur le cerveau, la santé, les relations sociales, la gestion du temps et même sur le sentiment individuel du bonheur.

Michel Lemieux étudie l'emprise de la télévision sur la vie quotidienne et montre que, loin d'être ce qu'elle prétend, à savoir une fenêtre ouverte sur la vie et le monde, cette « fée devenue sorcière » prend la place de la vie. Il attire l'attention sur le fait que le téléspectateur, qui gît 30 heures par semaine devant son appareil, avec l'impression d'explorer différents univers, a en réalité l'esprit qui tourne à vide et se retrouve en dessous de ses capacités physiologiques, intellectuelles et humaines.

L'auteur propose une sérieuse matière à réflexion sur l'esclavage de la télévision. Il compare la boulimie d'images et de sons du « téléphage » à la boulimie alimentaire et assimile la télévision à une drogue parmi les plus puissantes, voire plus insidieuse parce qu'en apparence anodine. C'est une drogue forte, estime-t-il, qui plonge le téléspectateur dans un sentiment de solitude encore plus profond que celui qu'il tente de calmer, subjugué par cet envahisseur séduisant, qui dévore ses heures de temps libre et de loisir.

En fin de parcours, Michel Lemieux invite les nombreux « télédrogués » à se mettre à la recherche du temps volé, sans faire de geste d'éclat comme celui de jeter l'appareil à la poubelle, mais en gérant leur temps d'écoute pour se donner une saine hygiène psychosociale et récupérer tant d'heures précieuses, à une époque où chacun se plaint de manquer de temps. Et de rappeler judicieusement que « ce à quoi nous utilisons notre temps, heure par heure et même minute par minute, détermine finalement ce à quoi nous utilisons notre vie ».

Colette Beauchamp
Auteure et analyste critique des médias

Introduction

La télévision : « se distraire à en mourir »

Titre d'un ouvrage de Neil Postman

Étrange objet que la télévision : dès qu'on tire sur un fil, c'est toute la société qui vient.

J.-L. Missika et D. Wolton [1]

LA TÉLÉVISION s'est faufilée, l'air de rien, dans le quotidien de nos vies, déguisée en meuble anodin et jouant l'anonyme dans les salons, les boudoirs et les chambres à coucher. Il paraîtrait démodé, voire impertinent, de remettre en question sa place dans nos loisirs, dans nos familles ou dans l'organisation ordinaire de notre temps. Se pose-t-on encore ces questions au sujet du téléphone, du frigo ou du malaxeur électrique ? La place prodigieuse occupée par la télévision en Occident s'accompagne toujours d'une mauvaise conscience tout aussi prodigieuse, qui tend à rendre opaque sa véritable place dans nos vies, à en faire le « machin » léger et distrayant dont on tourne le bouton sans y penser. Vraiment, on ne la voit plus, cette télévision !

Peut-on encore espérer poser un regard neuf sur l'emprise de l'occupation télévisuelle dans notre vie quotidienne ? Peut-on prendre assez de distance pour juger froidement la manière dont la télévision occupe notre temps, comme on dit d'un envahisseur qu'il occupe un pays ?

Tant dans la sensation première qu'elle donne que dans sa propagande officielle, la télévision se présente comme une fenêtre ouverte sur la vie et le monde, une vitrine chatoyante nous exposant l'actualité et les histoires complexes ou ordinaires des êtres humains, de leurs relations et de leurs émotions. Pourtant, la réalité est tout autre :

la télévision ne photographie pas la vie, elle prend la place de la vie. Quelque chose dans sa nature même déguise sa caractéristique essentielle, qui est de séduire l'esprit et de le disposer sur une voie parallèle à la vie et à ses tensions dynamiques. Sous son masque et ses déguisements « d'œil neutre », grand ouvert sur la vie, la télévision constitue un univers fermé où la dynamique de la vie ne survit que sous la forme d'images rétrécies dont on exploite le reflet de vitalité.

Celui ou celle qui s'affaisse 20 heures par semaine devant son téléviseur a l'impression hautement mensongère d'explorer l'univers, composé de faits divers, d'enquêtes policières, d'espionnage, de hockey, etc. En fait, son esprit tourne en rond autour du vide. Pendant qu'il contemple « l'étrange lucarne », son propre corps se met au ralenti, le système sensori-moteur fonctionne en pure perte, le cerveau débranche, pour ainsi dire, la communication avec les autres. L'individu vit alors à rabais pendant que cette faiseuse d'esbroufe qu'est la télévision lui fait croire qu'il accède à des univers visuels inédits, plus merveilleux que la vie elle-même.

En se présentant comme un reflet du paradis des images et des sons, dont elle laisse échapper chaque jour quelques parcelles, la télévision mystifie son utilisateur et le trompe sur le produit : ce dernier croit consommer une vie « supérieure » alors qu'au même instant, il vit en dessous de ses capacités physiologiques, intellectuelles et humaines.

Ce qu'on cherche dans la télévision ne s'y trouve franchement pas. La télévision vole la vie dans une gigantesque entreprise de fraude et de fausse représentation. Dit sans détour, la « fenêtre » merveilleuse sur le monde n'est qu'un assemblage brillant de miroirs croisés qui, au-delà du tape-à-l'œil et du clinquant, ne renvoie qu'un néant, ou que les reflets d'une vie morne et triste.

Voilà ce dont vous serez persuadés, je l'espère, au sortir de ce texte.

Chapitre premier

Un peu de recul

Le message d'un médium ou d'une technologie, c'est le changement d'échelle, de rythme ou de modèle qu'il provoque dans les affaires humaines.

Marshall McLuhan [1]

À peine les premiers téléviseurs furent-ils exposés dans les vitrines du New York des années 1940 que la télévision fut vertement critiquée par les élites et les notables. Axées sur des motifs inavoués de nostalgie et de crainte du changement, ces critiques négatives continuent à couver sous la braise et resurgissent de temps à autre. Non seulement elles ne trouvent que peu d'écoute, comme toute critique passéiste, mais elles déforment et paralysent d'autres critiques qui, elles, s'appuient sur d'autres bases que le regret frileux de l'époque prétélévisuelle. Cette confusion est fort malheureuse.

La télévision a fait irruption dans nos sociétés suite à deux illustres inventions : d'abord, le cinéma, au début du siècle. Ensuite, la radio, dont l'usage s'est répandu entre les deux guerres mondiales. En fouillant les archives de ces époques, il est frappant de retrouver, au sujet de la télévision naissante, les mêmes lamentations que celles qui faisaient rage autour des effets de la radio lors de sa création.

« Le cinéma et la radio sapent à la base des valeurs morales que la Famille, l'Église, l'État et l'École tentent péniblement d'insuffler à la jeunesse », a-t-on affirmé dans un contexte de religion en effritement, de sexualité en libération (ou débridée, selon le point de vue) et de rejet des autorités parentales et enseignantes.

« Torturées par les ondes et l'écran », ajoutaient d'autres, « les assises de notre culture prennent figure d'aimables croyances à prendre ou à jeter, lancées en pâture à ces cinéastes et ces animateurs de radio dont les obsessions se limitent à la superficialité et au fric. Que deviennent les valeurs profondes ? »

Dans leur sillage, radio et cinéma ont toujours soulevé des relents volages et effrontés, comme en leur temps les livres dits « profanes » et les pièces de théâtre mises à l'Index ou censurées.

On entendait aussi : « Les salles obscures favorisent une promiscuité pleine de sous-entendus. La sortie de cinéma devient une roue de plus au carrosse des adolescents qui s'éloignent du nid familial. » Il ne fallait qu'un soupçon de mauvaise foi pour confondre cinéma et lieux mal famés.

La radio a le bonheur de s'écouter au domicile familial, ce qui aurait dû séduire la gent parentale du début du XXe siècle. Mais la contestation des valeurs et l'information brute venaient justement déranger la version officielle de l'univers au sein même du temple familial. Dès le début, les émissions de radio affichèrent un petit air de superficiel — fait de romances mièvres et de concours bidon — qui, paradoxe étonnant, ébranlait les croyances fortes et transcendantes par le nivellement de toutes les valeurs. Un constat qui demeure toujours aussi vivace de nos jours.

Le chœur des encenseurs

Face aux barrages idéologiques dressés par les notables, certains prophètes préféraient insister sur les qualités nouvelles des deux merveilles dont la technologie venait d'accoucher, à 30 ans de distance : le cinéma et la radio signifiaient un nouvel âge de la culture.

Les esprits jeunes et délurés discernaient dans le cinéma naissant — et muet — l'essence d'un nouvel art, autre chose que le théâtre et le spectacle de foire. Avec Méliès et Chaplin, ce média ouvrait les portes d'un monde de sensations neuves, un nouvel espace pour l'imaginaire humain, dont la valeur reposait, comme pour les autres formes artistiques, sur la capacité de ses créateurs à concevoir de grandes œuvres. Le cinéma n'était sûrement pas moins porteur de sensibilité artistique que la plume, le théâtre ou la musique.

De son côté, la radio se tailla rapidement une place large et incontournable sur le marché de l'information générale. Les « actualités » du jour se faufilaient dans chaque foyer en quelques secondes, atteignant des publics souvent illettrés et secouant le monopole des journaux sur l'information. Les discours en direct des politiciens furent une révélation pour les premiers mordus des postes à cristal ou à galène. La radio permettait également une diffusion élargie de la musique, classique ou populaire, et de la chanson. Ce phénomène prolongeait et accentuait l'irruption, quelques décennies auparavant, des premiers tourne-disques. Peut-on aujourd'hui réaliser ce miracle ? La musique pouvait exister autrement qu'en audition directe d'un orchestre ou d'une voix ! Le grand Enrico Caruso devint la première vedette internationale de la chanson, autant par le disque à rouleau que par la radio.

Face à ceux qui dénonçaient les effets pervers de ces médias insolents, il y avait toutefois des esprits éclairés qui mirent l'accent sur les possibilités éducatives du cinéma et de la radio, y voyant des moyens privilégiés d'élévation du niveau intellectuel des « masses ». De leur côté, les élites discernèrent que les nouvelles inventions pouvaient « convaincre » les populations du bien-fondé des causes les plus diverses. Les révolutionnaires bolcheviques de l'époque, Lénine en tête, s'y convertirent rapidement, tandis que les forces conservatrices, en retard par définition, mirent tout en œuvre pour contrôler ces technologies aux effets sociopolitiques ambigus...

L'arrivée de la télévision

Après l'imprimé, le cinéma et la radio, l'arrivée du quatrième mousquetaire des médias de masse, la télévision, se fit avec tambours et trompettes. Une catégorie de bien-pensants — certains désintéressés, d'autres non — fit aussitôt bloc pour dénoncer la nouvelle invention. Les commerçants, artisans et entrepreneurs en radio ou en cinéma, tremblant pour leur gagne-pain, firent entendre leur couplet, bientôt suivis des amoureux de la radio, dénonçant le « machin » menaçant. Qu'allait devenir le ton intime et complice de la radio, qui faisait partie du tissu familial de l'Occident depuis plus de 30 ans ? En somme, le monde déjà bien constitué de la radio et du cinéma n'attendait rien de bon de la nouvelle venue, oubliant qu'il était lui-même issu d'inventions pourfendues en leur temps et pour les mêmes raisons. Mais ses ennemis d'antan — les moralistes — n'avaient pas désarmé et se regroupèrent pour donner l'assaut au nouveau bébé du génie technologique. Une attaque qui fit chou blanc.

La liberté de l'esprit

Chaque média porte en lui un effet libérateur braqué contre les élites dirigeantes de la société. Par exemple, l'imprimerie naissante accoucha de la Réforme protestante contre le clergé de Rome. À chaque époque, les médias assument la transmission de la critique contestataire contre les a priori, rarement transparents, et les sous-entendus des groupes sociaux. Les figures d'autorité du moment — élites, clergé, parents ou enseignants — se sentent attaquées par la voix nouvelle qui parle plus fort que la leur. Tout média implique une bataille de pouvoir.

De Socrate à *Suicide mode d'emploi*, en passant par *Les versets sataniques*, il y a les livres que l'on s'échange sous le manteau, ces livres iconoclastes qui vitriolent les valeurs en place, libèrent de nombreux esprits d'un face-à-face aliénant avec la puissance de la pensée autoritaire du lieu et de l'époque. Combien de jeunes lecteurs, un livre défendu sous l'oreiller, ont pu respirer un air différent et frondeur, tellement plus vivifiant que celui de leur famille, de leur village ou de leur école ? Pensons à Érasme, Boccace, Gide, Sartre, Marx, Goethe, Freud, Descartes et tant d'autres, dont les œuvres ont su créer une distance libératrice d'avec les chaînes étouffantes d'un milieu social clos. Média rime souvent avec liberté, ce que savent tous les oppresseurs.

Dernière venue dans le concert des médias, la télévision fit donc ses premiers pas en terrain déminé par le livre, la radio et le cinéma. Quand il se mit à gronder contre le petit écran, le souffle dénonciateur des moralistes était déjà bien court et affaibli.

Le petit dernier prend sa place

Dans les années 1950 et surtout 1960, l'implantation de la télévision ne s'improvisa pas dans le désert. Elle s'était taillé aisément une place entre une radio au sommet de sa popularité et un cinéma impérial, projeté en cinémascope et doté d'un réseau de salles tentaculaire.

Le gadget télévision fut adopté en un tournemain par les foules, sans rupture avec le passé et dans un esprit de continuité assez étonnant, ce qui témoigne du fait que le son à domicile et l'image artificielle appartenaient déjà à l'univers mental de la population. En effet, lorsqu'on décortique d'une part les impacts socioculturels de l'implantation de la radio dans les années 1920 et, d'autre part, l'originalité des structures narratives du cinéma et sa puissance d'évocation, il saute aux yeux que la télévision prolonge simplement l'impact déjà puissant de ses deux prédécesseurs. Sur le plan sociologique, rien de franchement nouveau. La civilisation de l'audiovisuel a précédé de 40 ans la télévision, ce que nous oublions souvent. Qualitativement, l'enchaînement se fit sans heurts et, si l'on s'en tient à l'étude des faits historiques, l'appareil est alors simplement décrit comme « une radio à effets visuels » ou un « cinéma parlant chez soi ».

Cette continuité historique du phénomène télévisuel va à l'encontre d'une vision communément adoptée, sans perspective linéaire, qui date tout à partir de l'irruption de la télévision, que ce soit l'information instantanée ou la narration par l'image.

Mais de façon dialectique, il est aussi nécessaire d'éclairer avec intensité l'originalité profonde de la télévision. Cette singularité ne procède pas du contenu du média lui-même, mais de ses conséquences majeures sur l'organisation de la société et sur la structure de notre vie personnelle, lorsqu'il atteint son pouvoir maximal.

En effet, lorsqu'un pourcentage élevé de la population est vissé devant sa télévision durant le plus grand nombre d'heures possible de la semaine, les impacts sur l'organisation sociale et personnelle atteignent eux aussi leur maximum. C'est cet impact quantitatif de la télévision qui nous intéresse ici, un impact plus puissant, pensons-nous, que son impact qualitatif.

McLuhan, le défricheur

Marshall McLuhan, le sociologue vedette de l'université de Toronto, ne fut pas le premier, bien sûr, à réaliser qu'une technique quelconque ne produit pas uniquement les effets immédiats et évidents pour lesquels on l'a inventée. Que la radio transmette la voix, que l'horloge visualise le temps ou que l'ordinateur trie des bases de données, seule une vision simpliste de la réalité s'arrêterait à des constats aussi primaires. L'invention de l'horloge a en vérité transformé entièrement notre perception du temps, devenu matière à planifier et à segmenter, rendant ainsi possible l'organisation mécanique du travail, la chaîne de montage et la bureaucratie. En fait, toute innovation technique majeure de l'humanité transforme la société entière, de ses infrastructures matérielles à ses structures sociales, en passant par les mentalités.

Lewis Mumford fut sans doute le plus complet et le plus ingénieux de ces penseurs qui lièrent « techniques et civilisations[2] ». Mais en ce qui concerne la télévision nouvelle, ce fut bien McLuhan qui développa ces intuitions fulgurantes dont nous n'avons pas digéré, 20 ans plus tard, toute la portée. C'est lui qui, le premier, pensa la télévision de l'extérieur, se détachant de la fascination immédiate du petit écran pour en saisir la relation avec le fonctionnement mental du spectateur.

Au centre de « l'effet McLuhan » est la révélation que le médium lui-même est plus important que son contenu (« le médium est le message »). En apparence superficiels, les sons et les images diffusés par la télévision plongent l'esprit à l'intérieur d'une émission, l'aspirent de façon presque magique. Pourtant, la force de frappe de la télévision réside ailleurs : dans la transformation sociale et psychologique qu'elle fait subir à la société, ainsi que dans les changements qu'elle apporte dans nos manières de vivre et de penser.

En d'autres termes, l'illusion de la télévision conduit à discuter de son contenu — Y a-t-il trop de violence ? Trop de messages publicitaires ? —, question pourtant mineure face aux influences radicales du média sur l'organisation de notre vie sociale et personnelle.

Dans ce sillage, McLuhan a montré par le détail comment l'esprit linéaire, légué par le livre, est contraire à l'esprit nouveau façonné par la télévision, qui organise plutôt les idées en « mosaïque ». À la place d'une organisation causale et logique, on se meut dans des juxtapositions d'éléments en vrac, ce qui entraîne des conséquences majeures sur les sciences, les arts, et la pédagogie. D'autre part, la télévision transmet ses images en « basse définition », escamotant les détails au profit de l'ensemble, à l'inverse d'une voix chaude, d'une photo couleur ou d'un magazine luxueux, qui, eux, seraient de l'ordre de la « haute définition ».

McLuhan a mis en lumière que la télévision créait une sorte de réseau mental de tous les spectateurs, reliés à l'intérieur de ce qu'il nomme un « village global ». En somme, la télévision devient la toile de fond d'une culture mondiale.

Média froid, la télévision décourage les débordements esthétiques ou émotifs. Voilà pourquoi il est malséant de crier devant les caméras ou de tenter de retenir l'attention autrement que par un ton détaché et posé. La télévision rend agressif et excessif tout message chaud.

Voilà quelques-unes des composantes clés de la pensée de McLuhan ; il s'agit d'un simple aperçu d'une pensée riche d'interactions structurelles. En son temps, la télévision n'avait toutefois pas encore atteint le « plafond » d'écoute actuel ; les téléspectateurs occidentaux allaient bientôt lui consacrer un nombre d'heures ahurissant. En 1960, McLuhan ne pouvait se douter que le fait de passer des dizaines de milliers d'heures de sa vie devant la télévision constituait en soi un phénomène social et mental de première importance. Si le « prophète des médias », comme on l'a surnommé, avait discerné la direction générale des changements mentaux engendrés par l'écoute de la télévision, il n'était pas alors en mesure d'évaluer la force d'impact de cette activité et ses résonances sur toutes les autres.

Chapitre II

Gérer son temps, c'est vivre

J'avais la télé mais ça m'ennuyait. Je l'ai retournée de l'autre côté. C'est passionnant !

Je suis snob, chanson de Boris Vian

Rien n'est plus précieux que son temps. Sur une vie moyenne de près de 75 ans, le temps fuit et nous fait défaut. Tôt dans une vie, nous touchons du doigt une sagesse millénaire : la vie est brève et ses « rapides délices » passent comme un coup de vent...

Dans notre société organisée — trop organisée —, nous sommes soumis à des horaires fixes, des rendez-vous, des agendas et un encadrement qui restreignent considérablement notre liberté. Sans cesse coincés par le temps, nous avons du mal à retrouver nos rythmes intimes. La montre de tout le monde n'est celle de personne, et tous les individus sont frustrés de devoir courir toute leur vie à bout de souffle, à la recherche du temps (en) volé.

Opérons quelques calculs prosaïques : quand on retranche les périodes de sommeil et les années passives de la petite enfance, le temps dont nous bénéficions dans une vie se rétrécit encore davantage. Nous pouvons en fait compter sur une « marge de manœuvre » équivalant à une quarantaine d'années pour déployer notre vie active et créative : travailler, aimer, jouir et souffrir... En moyenne, 480 mois complets, 24 heures par jour, pour exister vraiment ! Évidemment, peu de gens planifient leur vie avec une telle rigueur, ce qui deviendrait d'ailleurs insupportable à la longue. Mais il vaut la peine d'y réfléchir à l'occasion, car personne ne le fera à notre place et, sur notre lit de mort, ce ne sera vraiment plus la peine !

Le temps libre

Reprenons ces 40 ans de vie pleine que nous avons à vivre. Enlevons les années qui se sont déjà écoulées. Retranchons encore notre temps de travail rémunéré, plus ou moins compressible, et ces périodes hétéroclites liées à des actes nécessaires : changer un pneu crevé, sortir les ordures, aller aux toilettes, balayer ou attendre l'autobus. Que reste-t-il ? De combien d'heures vraiment utilisables à notre gré disposons-nous dans une année, que ce soit pour aimer, faire du sport, converser avec des amis, construire des meubles, classer des timbres ou écouter de la musique ? Peu, vraiment peu.

Sans évoquer toutes les enquêtes sur la question, nous pouvons établir qu'en moyenne, un Occidental d'aujourd'hui dispose de moins de cinq heures par jour pour occuper son temps de façon libre et individualisée, surtout si son travail lui accorde peu de satisfactions à cet égard. En somme, seule une partie réduite de notre longue vie — moins d'un cinquième — est à notre disposition pour faire autre chose que le strict nécessaire et l'obligatoire. C'est-à-dire ces périodes où l'on peut organiser sa créativité sans trop de barrières, ces instants dont on se souvient, qu'on photographie et dont on souhaite retrouver la saveur — l'envers des périodes encadrées par un rendement à fournir et une tâche à accomplir sous surveillance.

L'envahisseur

Activité mesurable comme une autre, quelle place occupe la télévision dans ce contexte d'heures précieuses, qui nous sont comptées avec parcimonie ? La réponse est simple et brutale, et les résultats de la plupart des enquêtes objectives sur le sujet concordent.

- La source la plus fiable, basée sur des mesures audiométriques, est celle de la firme Nielsen Recherche Media. Durant les quatre premiers mois de l'an 2003, Nielsen estime que le temps d'écoute moyen des Québécois est de 31 heures 52 minutes par semaine. Cela excède de près de trois heures la moyenne canadienne (28 heures 57 minutes).
- Les statistiques audiométriques diffèrent des résultats de sondages. Selon Statistique Canada, un adulte québécois regarde en moyenne la télévision 3,4 heures par jour, soit 23,8 heures par semaine

(contre 20,1 heures pour le téléspectateur ontarien)[1]. On observe donc un écart considérable entre les estimations de Nielsen et les sondages de Statistique Canada, de près de huit heures par semaine.

- Les femmes regardent la télévision un peu plus que les hommes : environ 8 % de plus[2].
- Plus on est âgé, plus on écoute la télé : les personnes de plus de 65 ans l'écouteraient 46 heures 41 minutes par semaine, contre 16 heures 52 minutes pour les 18-24 ans[3].
- Moins on est scolarisé, plus on regarde la télévision : les personnes ayant une scolarité de niveau primaire la regardent 90 % plus longtemps que celles qui possèdent une scolarité de niveau universitaire ; celles ayant une scolarité de niveau secondaire la regardent 55 % plus longtemps que les personnes détenant une scolarité universitaire[4].
- La fréquentation varie selon les saisons, de 25 heures en février à 18 heures en juillet.
- Dans les pays occidentaux, les temps d'écoute internationaux sont assez variables. Les pays où le temps d'écoute hebdomadaire est le plus élevé sont les États-Unis, avec 31 heures, l'Estonie, avec 30 heures, la Hongrie et la Slovaquie (29 heures chacune). Au bas de l'échelle, on retrouve l'Autriche (16,5 heures) et la Suède (17 heures)[5]. On voit donc que, dans la mesure où les statistiques sont comparables, le Québec se situe assez haut dans l'échelle des auditoires compulsifs.

L'instrument de mesure

On voit d'après les variations citées ci-dessus que la « durée d'exposition » à la télévision est difficile à cerner de façon précise ; les résultats d'enquête varient quelquefois du simple au double[6]. Ce genre de variations dépend surtout des méthodes utilisées. Ainsi, on a tenté de mesurer le temps de fonctionnement du téléviseur avec des compteurs qui additionnent les minutes où un téléviseur est allumé. Toutefois, on surestime ainsi le temps d'écoute car on ignore si, devant l'appareil allumé, quelqu'un se trouve vraiment en train de regarder une émission.

Une autre méthode consiste à demander aux gens d'évaluer eux-mêmes leur « temps d'exposition » au petit écran (le plus souvent par des sondages). Toutefois, cette autoévaluation se traduit souvent par une sous-estimation; par un curieux réflexe de pudeur, les répondants minimisent leur « télémanie ». Par exemple, dans certains sondages téléphoniques, il n'est pas rare que certains individus évaluent leur occupation télévisuelle entre 12 et 15 heures par semaine, ce qui est près de 50 % de moins que la réalité constatée par des méthodes plus directes. Il est vrai que le butinage d'une chaîne à l'autre, généralisé par l'usage de la télécommande, ne laisse pas au téléspectateur l'impression d'avoir réellement regardé la télévision... même s'il y a consacré plusieurs heures!

Les nouvelles technologies de mesure de l'écoute réelle se développent et font appel, par exemple, à un sonar à ultrasons ou à l'infrarouge pour détecter la présence effective d'un individu devant l'écran ouvert. Un ordinateur enregistre alors l'heure et les chaînes regardées. Ce sont ces mesures plus fiables qui donnent un résultat de près de 30 heures par semaine.

Au-delà des méthodes diverses, des variations annuelles et des différences entre pays, le phénomène suivant se détache avec force: l'Occidental moyen regarde la télévision entre 20 et 30 heures par semaine, et ce, tout au long de sa vie.

Sur cette base de 30 heures hebdomadaires, cela signifie approximativement que nous passons en moyenne 100 000 heures de notre vie, ou 10 ans complets de notre existence, devant le poste de télévision, à raison de quatre heures de télévision par jour.

Rien que cela!

En somme, un raz-de-marée d'heures, de jours et d'années. Qu'on prenne les minima ou les maxima des résultats d'enquête, l'ampleur de la fréquentation télévisuelle demeure toujours prodigieuse: de 45 000 à 120 000 heures dans une vie! Pour simplifier, parlons ici de 100 000 heures de télévision en moyenne... 100 000 heures assis devant le téléviseur à voir défiler des milliards d'images de toutes natures... De quoi donner le vertige!

Sur le plan collectif, les statisticiens ont calculé que l'ensemble des Québécois regardent la télévision durant 167 millions d'heures en une seule semaine! En comparaison aux autres activités de la vie ordinaire, le sommeil, qui occupe près de 55 heures par semaine de notre temps, détient la première place; la télévision vient au deuxième rang des activités humaines, à égalité avec le temps consacré au travail. Sommeil la nuit, travail le jour, télé le soir : voilà le triangle qui résume la vie d'une majorité de nos contemporains.

Il est vrai que le nombre d'heures consacrées à la télévision, au travail et au sommeil varie considérablement d'un individu à l'autre, puisqu'il s'agit de moyennes statistiques : selon l'âge, les jours de la semaine, les saisons, le sexe ou la scolarité, on regardera plus ou moins le petit écran. Mais, une fois additionnées toutes les heures passées devant la télévision au cours d'une vie, la fréquentation massive prédomine.

Internet et la télévision : deux écrans, deux logiques différentes

Afin d'expliquer la logique du fonctionnement d'Internet, revenons à quelques bases et plus spécifiquement à l'outil qu'est la tabulation. Il s'agit de l'ensemble des procédés qui organisent les parties d'un texte et mettent en exergue certaines d'entre elles. Un texte non tabulé est d'un seul tenant, sans distinction de sous-ensembles. Certains textes anciens sont de cette nature. Inversement, la lecture moderne nous a habitués à des textes hautement tabulés par des paragraphes, des sous-titres, des chapitres, un index et une table des matières. Le sommet de la tabulation pourrait être le dictionnaire.

Par analogie, le réseau Internet est construit comme une immense structure de tabulation ; sa logique s'articule sur une tabulation généralisée, ce qu'on nomme spécifiquement l'hypertexte. Un élément cliquable ouvre sur un sous-ensemble qui, à son tour, peut être ouvert, et ainsi de suite, à l'image des poupées gigognes. La navigation par hypertexte constitue la force et l'originalité des sites Web[7].

Par sa nature même, la navigation Internet permet de sélectionner un embranchement, d'approfondir une dimension, de creuser à un endroit voulu : en somme, d'explorer un site à sa manière, à son rythme, avec ses propres objectifs. Qu'on parle d'un site particulier ou de l'ensemble du réseau, c'est donc un lieu de haute interactivité et de logique discontinue. En fait, on peut juger de la bonne ergonomie d'un site Internet par la facilité avec laquelle on peut y naviguer, et par la quantité d'informations disposées en hypertexte. Vandendorpe décrit ainsi l'hypertexte : « [Il] invite à la multiplication des hyperliens, dans une volonté de saturer les associations d'idées, de faire tache d'huile plutôt que de creuser dans l'espoir de retenir un lecteur dont les intérêts sont mobiles et en dérive associative constante[8]. »

La logique de la télévision est fort différente. Son écoute et sa structure même sont fortement linéaires. Les histoires regardées à la télévision — cinéma, téléromans, documentaires — se déroulent en continu, et les scènes s'emboîtent les unes dans les autres sans intervention du téléspectateur. Comme nous l'avons déjà dit, regarder la télé est un acte profondément et intrinsèquement passif. On ne revient pas en arrière, on ne contrôle pas le débit, on n'avance pas plus vite, on ne peut contourner des éléments visuels : tout est organisé pour qu'on suive le courant au rythme et dans la logique voulus par le réalisateur[9].

Le pitonnage, pour employer l'expression québécoise désignant le zapping, ne change rien à la logique linéaire de la télévision : il s'agit bien sûr d'une tentative pour avoir davantage de contrôle sur le média, mais cela ne le transforme pas pour autant en média interactif. Chaque chaîne reste linéaire et tente d'attacher le spectateur à son fil narratif. La logique de la télévision demeure toujours le mythique « il était une fois », qu'il s'agisse de cinéma, de sport ou de reportage. Toujours interviendra un dénouement qui conclura le fil de l'histoire.

De fait, la conception intrinsèque de la programmation télévisuelle a besoin de ce déroulement linéaire pour introduire des publicités. Les grandes difficultés que connaissent ceux qui veulent glisser des bandeaux publicitaires efficaces dans des images Web témoignent justement de cette donne : si le spectateur peut contrôler le débit de son écran, alors il zappe aisément la publicité, et cette dernière manque sa cible. Un drame pour les annonceurs !

Avec la télévision, le spectateur est prisonnier du flux des images, y compris des interruptions publicitaires (même si le zapping en diminue un peu la force de frappe). Le spectateur qui brise le fil narratif d'une chaîne pour se perdre chez un concurrent est un renégat temporaire qui n'a pas reconnu la valeur narrative de telle chaîne et lui en préfère une autre, mais ce petit jeu des infidélités successives ne change pas foncièrement la manière dont la télévision est construite.

Internet et la télévision sont donc deux médias aux logiques profondément différentes ; ce n'est pas parce que les deux utilisent des écrans qu'il faut les mettre dans le même sac. Le clavier et la souris font toute la différence.

Ce qui différencie les deux médias réside dans l'intensité créatrice d'Internet et de l'ordinateur en comparaison à la télévision. Pour la plupart des personnes qui travaillent devant un écran, l'ordinateur est utilisé comme un stylo, une machine à écrire, une bibliothèque, une calculatrice — en somme, de façon active, dans le but de créer un document. Même à des fins ludiques, dans des jeux vidéo, il existe une part importante de création et d'interactivité, deux notions à peu près absentes du monde de la télévision.

La convergence évanouie

Vers 1995, en plein délire infotechnologique, on ne parlait que de convergence des deux médias. Bientôt, la télévision et Internet allaient devenir un Grand Tout intégrateur ; les sites Web deviendraient un réseau de chaînes de télévision et une chaîne de télévision deviendrait un site Web, tout cela sur fond de haute interactivité, de réseaux de fibres optiques et d'écrans à haute définition. Des millions de dollars furent investis dans ce contexte : la télé achetait de l'Internet, et Internet, de la télé. Aujourd'hui, la réalité a fini par dissiper le mythe, en laissant bien des victimes sur les bas-côtés de l'inforoute : la large majorité des consommateurs de télévision ne voulait pas que son téléviseur se transforme en écran d'ordinateur, ni devoir s'activer avec la télécommande à tout moment. Regarder la télévision est un acte passif, purement ludique ; c'était passer à côté de la nature du média que de l'imaginer en feux d'artifice d'interactivité.

Inversement, la plupart des utilisateurs réguliers d'ordinateurs et des internautes ne sont pas des adeptes maniaques de l'ordinateur comme instrument de divertissement. Pour eux, l'ordinateur est d'abord un instrument de travail, un outil quotidien, et ils se voient mal passer leurs soirées devant cet écran qui envahit leur travail dans la journée ! Comme cela arrive souvent, ce n'est pas parce que la convergence télévision-ordinateur était possible techniquement qu'elle était souhaitée par la population. Les gens ont préféré que le divertissement passif de la télévision et l'interactivité bourdonnante de l'ordinateur demeurent séparés.

Nous ne tiendrons donc pas compte ici de l'utilisation des ordinateurs et des jeux vidéo (et donc d'un moniteur de type télévision). Ces activités comportent assez d'éléments fondamentalement différents de la télévision pour qu'il soit possible d'affirmer qu'on ne se trouve pas en présence de phénomènes comparables à la télévision ordinaire et passive.

Revenons à la télé : depuis les années 1940, on constate une diminution générale du temps de travail, même si le phénomène stagne relativement depuis les 20 dernières années dans certains types d'emploi. Cela signifie en pratique une croissance nette du temps consacré à la télévision.

Tous les facteurs contribuant à l'évolution du travail et de l'organisation de la vie sociale convergent vers une augmentation des heures de télévision : le temps partiel, le chômage technologique, les congés de maternité, les préretraites, le vieillissement de la population. Tout cela libère des heures immédiatement envahies par la télévision.

À l'avenir, rien ne permet d'envisager une quelconque diminution du temps consacré à la télévision par l'ensemble de la population. Au contraire, la croissance fulgurante de la fréquentation du petit écran devrait se poursuivre sans halte prévisible, comme on l'observe depuis les années 1960, et ce, jusqu'à la limite du temps « libéré » par les autres activités. Sans être grand prophète, on peut donc prévoir que l'on consacrera un jour plus de 40 heures par semaine d'écoute télé. Société de consommation, dit-on. Oui, mais société de consommation d'heures de télévision avant tout, société habitée par une boulimie inassouvie de spectacles télévisuels.

Du gadget à l'ultra-gadget et à l'hyper-gadget

Cette boulimie n'est pas étrangère aux développements de la technologie, et, depuis les années 1950, le téléviseur a fait l'objet d'améliorations techniques constantes :

- la couleur ;
- la miniaturisation des récepteurs ;
- la télécommande ;
- le câble et ses multiples chaînes ;
- la coupole de réception par satellite ;
- la stéréophonie ;
- l'enregistrement par magnétoscope à prix abordable et la disponibilité des vidéocassettes de films ;
- la disponibilité des lecteurs DVD à haute définition de l'image ;
- la multiplication constante des chaînes ;
- la diffusion de nuit généralisée ;
- des récepteurs à meilleure définition — plus de 1000 lignes — et l'introduction du relief ;
- une meilleure qualité sonore générale ;
- des capacités fulgurantes d'enregistrement vidéo sur support informatique ou DVD ;

- des récepteurs miniatures;
- des réseaux de fibre optique améliorant la qualité générale des transmissions;
- les systèmes de traitement numérique des images;
- l'écran partagé permettant de suivre plusieurs émissions simultanément;
- les écrans plats et géants;
- etc.

Aujourd'hui, il arrive même qu'une pièce de la maison soit dédiée à un super-téléviseur, baptisé du nom de « cinéma-maison ».

Toutes ces trouvailles ont un double objectif: d'abord vider notre portefeuille et ensuite nous attacher davantage à notre siège, devant le super-hyper-téléviseur. Plus d'heures, toujours plus d'heures pour le plus grand nombre de gens devant la télévision signifient des millions de dollars supplémentaires dans les coffres des fabricants de matériel, des télédiffuseurs et des annonceurs.

Sur un autre plan, nous assistons à un combat de titans entre les fabricants de récepteurs, qui rêvent de remplacer tout le parc d'appareils actuels, et les « artisans » des réseaux. Pourquoi, pensent ces derniers, investir des milliards pour améliorer la qualité technique des images alors que le système actuel fait le plein de téléspectateurs, en nombre et en heures ? La logique des ingénieurs, salivant sur les nouveaux machins, heurte de front celle des financiers repus ! De façon générale, le piège télévisuel se raffine et devient plus attrayant en encourageant la passivité accrue du spectateur: l'arrivée de la télécommande a ainsi fait disparaître le dernier élément d'activité physique relié au fait de regarder la télévision, soit se lever pour changer de chaîne... Espérons que ces progrès technologiques constants nous conduiront à des téléviseurs qui se laissent regarder tout seuls, et que, sur la pointe des pieds, nous pourrons doucement quitter notre salon pour aller prendre l'air !

Où en sommes-nous ?

Le fait que la télévision soit devenue l'occupation centrale de notre temps libre constitue sûrement le facteur psychosociologique le plus important de notre époque. Comme toujours, l'invention technique a été mise au point et vulgarisée sans qu'on en évalue au préalable les conséquences futures sur l'organisation de la société, sur sa vie économique et politique, encore moins sur le psychisme des individus.

Cette course vers l'inconnu semble une constante de l'histoire humaine; qu'on pense seulement à l'invention de la bombe aérosol ou au canon...

Après 40 ans, le phénomène télévisuel a atteint son rythme de croisière: 98,8 % des foyers québécois possèdent au moins un récepteur (et 61 %, deux récepteurs et plus[10]). Ses effets se sont assez stabilisés pour qu'on puisse en tirer des observations et des enseignements.

La télévision monopolise donc la grande majorité du temps libre dont nous disposons dans notre vie, entre le sommeil et le travail. Elle a donc mis à l'écart les autres loisirs, grignoté le temps de sommeil, rongé les périodes de conversation entre les gens; elle a raccourci les repas du soir, du moins ceux qui ne sont pas pris devant le petit écran; elle a vidé les rues, les salles de spectacle, de concert, de cinéma, les gymnases ou les stades. Ainsi, d'après l'enquête de 1999 du ministère de la Culture[11], les Québécois consacrent seulement 80 minutes par jour en moyenne à des activités de loisir en dehors de la télévision! Une performance qui se passe de commentaires. La courbe des heures vouées au téléspectacle grimpe comme une fusée, tandis que toutes les autres activités pointent vers le bas, déstabilisées par cet envahisseur impétueux et impérialiste.

La télévision est ce qu'elle est parce que nous la regardons près de 30 heures par semaine. Si on ramenait ce chiffre à cinq heures hebdomadaires, toute la face du monde occidental en serait changée. Une perspective réaliste sur la télévision doit d'abord prendre en compte ce prodigieux temps de fréquentation, sans quoi tous les propos sur son contenu et ses effets flottent forcément dans le vide. La vérité de la télévision réside d'abord et avant tout dans l'attachement profond qu'elle suscite et qui s'exprime en nombre d'heures qu'on lui consacre.

L'être le plus extraordinaire que la télévision ait rencontré...
L'Américain Howard Hughes, décédé en 1974, nageait dans l'argent comme peu de nos congénères. À la tête d'une fortune personnelle de plus de trois milliards de dollars, propriétaire de nombreuses sociétés de cinéma, de transport aérien et de sociétés industrielles, il pouvait réaliser les désirs les plus fous que l'argent peut procurer. Or, il passa les 15 dernières années de sa vie à... regarder la télévision! Installé dans de luxueuses suites d'hôtels, entouré d'une escorte de gardiens et de domestiques mormons qui l'isolaient du monde extérieur, Hughes vivotait tout seul dans une chambre aux fenêtres calfeutrées,

étendu toute la journée sur son lit. Devant lui : un téléviseur ouvert 15 heures par jour. Il mangeait rapidement quelques sandwichs ou des aliments en conserve sans quitter le petit écran de l'œil. Il refusait même de se faire couper les cheveux et la barbe. Solitaire et à moitié dingue, Howard Hughes mourut ainsi, dévoré par la télévision.

Chapitre III

Les « artisans » du petit écran

Tout renvoie à la télévision, dont la lueur remplace la lumière des saisons et des jours.

Jacques Godbout[1]

Le spectacle de la télévision, à la fois action privée et expérience intime dans ses aspects domestiques, et phénomène de pouvoir et de manipulation dans ses aspects mass-médiatiques, sans que jamais l'un puisse être dissocié de l'autre, trouve dans cette médiation entre le privé et le public une bonne partie de sa puissance de rituel social.

Hubert Lafont[2]

Dès les débuts du petit écran, les optimistes furent béats d'admiration devant les potentialités du nouveau « machin » de la technologie. Dans le sillage des scientistes du siècle dernier, d'Auguste Comte à Jules Verne, on salua à l'avance la naissance d'un incomparable instrument de diffusion du savoir. Voix et images pénétrant dans tous les foyers, y semant la science, l'information et la culture. L'éducation des enfants et des adultes trouverait là un souffle puissant et renouvelé. On prophétisa que par la lorgnette télévisuelle, les grandes œuvres artistiques deviendraient accessibles à tous, à l'inverse de ces lieux clos et élitistes que sont les musées et les salles de théâtre. Le beau slogan de « démocratisation du savoir et de la culture » entra tout droit dans le panthéon des idées-clichés de notre temps.

Rêves généreux qui tirent des larmes d'émotion. Périodiquement, de tels élans d'optimisme resurgissent dans le paysage télévisuel qui se teinte alors de rose bonbon. La bonne fée télévision redevient pleine de promesses mirifiques.

Ces potentialités merveilleuses sont indéniables, et la télévision pouvait devenir un champion incomparable de l'élévation du savoir scientifique, de la culture et des connaissances générales. Mais voyons les choses en face : ces illusions lyriques confondent les potentialités théoriques de l'instrument avec ce qu'il est devenu dans la réalité de tous les jours. Et comme le registre est différent !

La fée devenue sorcière

La fonction informatrice et culturelle du petit écran s'est littéralement couchée et a été absorbée par une mégapulsion pour la distraction forcenée, encadrée le plus étroitement possible par la commercialisation. Seuls quelques éclairs culturels épisodiques survivent sur certaines chaînes pour donner bonne conscience à ceux qui ont fait main basse sur la télévision.

De nos jours, les esprits courageux qui espèrent redresser la situation ne prêchent plus que pour quelques miettes d'émissions moins niaises que les autres, ou pour un réseau mineur consacré à la culture et à l'éducation, sans aucune fin commerciale. Ils se satisferaient même du fait que ce réseau ne soit que la chapelle d'un auditoire clairsemé et microscopique.

Mais il semble bien que les derniers défenseurs d'une télévision dite intelligente voient leur optimisme s'essouffler d'année en année. On en conserve quelques spécimens pour décorer les colloques de professionnels de la télévision car ils maîtrisent bien les envolées attendrissantes sur la télévision du futur...

En fait, le dérapage majeur survenu dans l'exploitation de la télévision présente deux aspects : primo, des contenus rassemblant les pires mièvreries ; secundo, les volontés et les intérêts de ceux qui dirigent et font la télévision. C'est l'envers et l'endroit d'un même phénomène.

Banalité des banalités, tout est banalité

Ce n'est pas notre propos de disséquer en long et en large les thèmes et les contenus des émissions ordinaires de la télévision. Oublions les rarissimes émissions fignolées et novatrices, qui consolent à peu de frais les « artisans » de la télévision de la qualité pitoyable de leurs produits courants. Regardons objectivement ces derniers : ils se caractérisent par une banalité éculée, par l'utilisation systématique du stéréotype et du cliché, et forment une sorte de ronron visuel dont le but n'est surtout pas d'élever l'esprit, d'informer ou d'éduquer, mais uniquement de retenir l'œil. Car les gens qui contrôlent le système télévisuel ont un seul objectif: garder leur clientèle prisonnière de leurs appareils le plus longtemps possible. C'est précisément la raison pour laquelle le contenu ordinaire de la télévision est ce qu'il est.

Des observateurs minutieux ont déjà tracé de multiples panoramas du contenu des émissions de la télévision pour en souligner la violence, le creux sirupeux, la grossièreté ou le spectaculaire insipide. Sans y revenir ici, retenons seulement une équation fondamentale: le niveau de mauvais goût et de « quétainerie » de la télévision est fonction directe du nombre d'heures que le téléspectateur y consacre. Saisir cela, c'est pénétrer l'essence du système de la télévision tel qu'il a été modelé par ses propriétaires. La télévision est devenue la mère porteuse d'une ribambelle de fadaises parce qu'on en a fait un instrument d'asservissement, et surtout parce que ses contenus ont pour objectif d'assujettir notre temps personnel. Le contenu des émissions est rétréci dans l'étau de cet étroit corridor soigneusement délimité par ses « artisans ».

Dans cette relation causale, il est important de distinguer l'effet visible et le rôle de ceux qui tirent les ficelles. Que la télévision se retrouve, en 2004, à véhiculer des contenus aussi débilitants, n'est pas lié à la technologie elle-même, mais relève d'abord des intérêts qui la contrôlent depuis ses débuts.

La pieuvre mercantile

Toutes les télévisions occidentales sont devenues commerciales, c'est-à-dire livrées corps et âme à des gens qui font commerce de leurs images. Pour les responsables ultimes, les émissions ne sont que les wagons de la locomotive publicitaire; ce sont elles qui forment la charpente des organisations télévisuelles. On retient le spectateur sur sa chaise par des bonbons télévisuels dans le seul but de le soumettre le plus longtemps possible aux publicités intercalées et de lui vendre la salade des annonceurs.

Les seules variantes à ce martèlement psychologique ne s'en éloignent que de quelques degrés dans la puissance d'imposition du système et, la plupart du temps, sont à ce point marginales qu'elles ne dérangent en rien la force d'impact du flot télévisuel ordinaire. Même les télévisions libres de toute publicité, soutenues par des États ou des groupes non commerciaux, se retrouvent coincées dans un système de cotes d'écoute à conquérir, qui conduit automatiquement au plus bas dénominateur commun des auditoires. Au bout du compte, toutes se coulent dans le système. Résultat : dans l'ensemble de leurs émissions, les différences fondamentales entre les diffuseurs sont à ce point ténues qu'en pratique, on peut les mettre dans le même sac. L'esprit humain remarque davantage les différences que les ressemblances ; or, en matière de contenu télévisuel, les premières sont anecdotiques et minces comme des lames de rasoir.

La manipulation par la facilité

Lorsqu'on pense au « contrôle de la télévision » par le groupe *x* ou *y*, qu'il soit financier ou politique, les bonnes âmes imaginent quelque exécuteur de basses œuvres, caché en coulisses, qui élimine des actualités certaines informations embarrassantes ou raccourcit le temps accordé à tel individu ou telle thèse. Si ce n'était que cela !

Ce mythe du « tripoteur en coulisses » de l'information empêche même de prendre conscience d'une manipulation autrement plus lourde et massive : l'économie de la télévision est la propriété entière des marchands, qui en contrôlent le contenu, la forme et surtout... la durée ! Directement ou par sbires interposés, ce contrôle s'effectue à tous les niveaux du système, de la propriété à la gérance, de la détermination des grilles de programmation à l'achat des séries ou au choix des « grandes gueules » habilitées à pénétrer dans nos foyers. La télévision est une marchandise à tout point de vue, traitée comme un produit à consommer, bouche grande ouverte pendant longtemps.

Élaborés par des marchands de savon et de bière, les contenus de la télévision ne reflètent que l'univers de ces marchands. Qu'arriverait-il si Colgate ou Molson décidait demain de patauger également dans le monde du livre ? Ils publieraient seulement des bouquins faits de clichés et de lieux communs, des navets sans originalité, d'où toute « déviation » non conforme à la platitude ambiante et toute recherche « inquiétante » seraient bannies... On ne tartine pas les futurs clients avec les réalités compliquées de la vie, mais bien avec des « paradis artificiels » et niais qui ont pour seule qualité d'être faciles à digérer.

À l'inverse du roi Midas, qui transformait tout ce qu'il touchait en or, les marchands de savon transforment n'importe quel média en instrument insipide et stérile, au contraire de la vie bouillonnante, comme l'envers de la recherche d'une vie meilleure et plus dense.

En somme, les marchands-rois de la télévision ont saisi rapidement l'équation fondamentale du système et en vivent largement :

Plus d'heures de télé

↓

Plus de spectateurs par semaine

↓

Plus de publicités par mois

↓

Plus de profits par année

↓

Le temps devant la télé, c'est de l'argent

Le cerveau humain supporte plutôt mal un flot continu de publicité à haute dose, ce qui est tout à son honneur. Aussi, pour diffuser son typhon publicitaire, la télévision des marchands se voit dans l'obligation d'y consacrer une bonne centaine d'heures chaque semaine, dispersées tout au long des émissions. Seul ce phénomène de diminution de l'attention freine le mitraillage publicitaire : les marchands doivent quand même intercaler quelques morceaux d'émissions « ordinaires » entre les annonces ! En effet, les psychologues estiment que lorsque la publicité dépasse le tiers du temps télévisuel, son effet s'atténue, ce qui aurait pour conséquence de diminuer le rendement financier de l'investissement publicitaire. Le seul moyen de contrer ce phénomène neurologique de saturation de l'attention est d'allonger au maximum le nombre d'heures consacrées aux émissions. En somme, de s'arranger pour que le « réceptacle » de cette débauche d'images et de sons demeure solidement vissé à son fauteuil durant de longues heures, le temps de tout ingurgiter.

Puisque l'Occidental normal consomme cette potion durant près de 30 heures chaque semaine, bien rivé à son poste, les marchands ont non seulement atteint leur but, mais ils ont même réalisé leurs espérances les plus folles. Peut-on imaginer que tous les soirs, près de 7 millions de Québécois, 250 millions d'Américains, 60 millions de Français, etc., sont conjointement soudés à leur fauteuil devant leur téléviseur ? Spectacle grandiose pour un esprit un peu imaginatif et visionnaire ! Pour la première fois dans l'histoire de l'humanité, 80 % des gens font tous la même chose en même temps ! Quelle conquête incroyable pour l'espèce humaine... et pour les marchands-rois de la télévision ! Désormais, ceux-ci naviguent à vue dans des eaux inconnues, dont ils ne voient pas les récifs, perdus qu'ils sont dans leur triomphe orgueilleux. En effet, soumettre un cerveau humain à près

de 1000 publicités par semaine produit des effets inconnus en termes d'efficacité du message transmis par ces annonces.

Est-ce que 716 pubs de bière diffusées en une seule semaine, comme le révélait une enquête[3], ne finissent pas par former un amas indifférencié qui, finalement, rate son impact de « suggestion » et de manipulation ? Lorsque 13 manufacturiers d'automobiles diffusent en 15 mois 168 messages différents concernant autant de modèles de véhicules (chaque message étant repris plusieurs fois), quelles traces peuvent bien surnager dans l'esprit de notre héroïque téléspectateur ? Angoissante question pour les esprits mercantiles de la télévision...

On peut aussi s'interroger sur certains effets pervers de ce « tordage de neurones ». Sur le mode de « l'arroseur arrosé », le fait de soumettre des consommateurs 30 heures par semaine à l'arrosage des publicités et à ce qui s'insère entre elles ne finit-il pas par nuire carrément au commerce et au « magasinage » comme activités ? Où trouvera-t-on le temps de parcourir les boutiques à la recherche des nombreux produits dont on a tenté de nous convaincre, à la télévision, qu'ils étaient indispensables ? Victime de son succès, l'entreprise de la télévision marchande effectue ici et là quelques essais compensatoires de télé-achats, mais se heurte à l'une des préventions fondamentales du consommateur : il n'achète pas facilement s'il ne peut toucher ou soupeser les biens convoités. Et le télé-achat n'offre même pas l'interactivité des achats par Internet.

Il est également évident que les longues stations devant le petit écran entraînent chez certains une diminution du temps de travail et de productivité. Ainsi, la télévision marchande se mord la queue, puisque les gens se retrouvent avec moins d'argent pour se procurer les produits annoncés.

Assis sur leurs milliards de dollars de chiffres d'affaires, les télémarchands — publicitaires, têtes d'affiche, gestionnaires — se heurtent pour la première fois à un mur dans leur univers en expansion constante : la quantité d'heures qu'un humain normal peut consacrer chaque semaine à absorber de la télévision, tout en continuant à dormir, à travailler et... à acheter ! Une histoire à suivre.

Chapitre IV

La télévision comme sensation vide

La paralysie des membres et la fascination de mes pensées ne sont que les deux aspects d'une structure nouvelle: la conscience captive.

JeanPaul Sartre [1]

Pour une « activité » à laquelle on s'adonne pendant de si longues heures, la télévision apparaît singulièrement dépourvue de relief. Bien sûr, nos yeux et nos oreilles s'évertuent à suivre les changements d'images sur un écran — pas plus grand qu'une simple fenêtre. Mais cet exercice s'opère par un rétrécissement radical de notre capacité à utiliser tous nos sens et à capter la réalité extérieure: palper des objets, en sentir vivre tous les contours, écouter de vrais sons (et non pas le succédané affaibli que nous transmet un haut-parleur), détailler la subtilité des couleurs vibrantes et chatoyantes de la nature, toucher une personne en chair et en os, sentir le vent ou les odeurs chaudes, caresser un chat. En somme, ressentir par tous les pores de sa peau un authentique sentiment de vivre. Voilà justement ces sensations puissantes et naturelles de la vie que l'embrigadement de la télévision détériore et affaiblit.

L'occupation télévisuelle constitue une utilisation déficiente et handicapée de tous nos sens et de notre manière la plus humaine de capter la vie bruissante: 100 000 heures de télévision dans une vie signifient ainsi 100 000 heures de sous-développement pernicieux de notre capacité sensorielle.

Vivre devant la télévision immerge notre métabolisme dans un bain décapant qui nous ôte notre vitalité profonde, entraînant une négation du corps dont les tensions et les besoins dérangent la fascination envoûtante de l'image. La télévision s'adresse à des anges dépourvus d'élans sensori-moteurs, de purs réceptacles d'ondes lumineuses et sonores. La messe télévisuelle se déroule dans un univers antihumain, un ghetto froid et sans intensité qui nous éloigne de la réalité, comme une dérive des sens.

Le cerveau enfermé

Imaginons un cobaye humain enfermé dans une cabine insonorisée, dont la seule fenêtre sur le monde serait un récepteur de télévision. Au fur et à mesure des jours et des semaines, il est certain que notre pauvre cobaye subirait une mutation radicale de sa perception des réalités, qui l'obligerait à s'adapter à une nouvelle manière de voir le monde. La télévision organise les idées et les sens à sa manière bien particulière, qui n'est pas celle de la nature — elle en est même tout le contraire. « Canal de télévision », dit-on couramment; or, un canal n'est-il pas d'abord un passage étroit et rétréci ?

L'univers de la télévision est tissé de bruits violents, d'images syncopées, de ruptures perpétuelles, d'un rythme à mille lieues du monde des choses ordinaires. Il se concentre sur seulement deux de nos sens, la vue et l'ouïe, pour en rapetisser les potentialités. Comme le disait C. Fischler [1], « on soupçonne que l'excès de télévision entraîne des modifications dans le fonctionnement intellectuel de ceux qui l'ont beaucoup regardée. On sait surtout qu'elle produit ou concourt à produire une sorte de trouble de l'accommodation, de la décantation du réel et de l'imaginaire. »

Approchez-vous de votre écran de télévision et examinez de près la texture du scintillement de l'image. Elle est constituée de quelques centaines de lignes superposées, résultats du balayage de faisceaux cathodiques: 525 lignes en Amérique et 625 lignes en Europe (en attendant la haute définition, ce qui ne changera pas vraiment la nature du fait). Il suffit d'examiner le détail des images obtenues pour en saisir la grossièreté et l'approximation. Les meilleures techniques actuelles ne rendent qu'une image déformée de l'objet réel, et les psychologues spécialistes de la forme nous apprennent que notre cerveau complète l'image et, au fond, la construit. On nomme « basse définition » cette particularité de l'image télévisuelle, qui se présente comme une mosaïque de lignes grossières et de points, ce que McLuhan appelait une « icône ».

Le contraste est encore plus saisissant lorsqu'on compare une image télévisuelle avec une photo de haute qualité de la même scène. Lorsqu'au cinéma un réalisateur filme un simple téléviseur allumé dans un salon, le résultat visuel reproduit en cinémascope est stupéfiant. L'image de la télévision devient un brouillon agaçant de la réalité, en contraste flagrant avec la qualité de l'image de cinéma, tout comme la photo tranche radicalement avec le pauvre succédané qu'est l'image télévisuelle.

Notre esprit s'adapte au rétrécissement et à l'appauvrissement engendrés par la technique télévisuelle et, ma foi, semble s'en accommoder. Mais qu'il n'en prenne pas conscience ne signifie pas que ces images ingurgitées en doses massives ne laissent aucune séquelle dans notre cerveau. Quelque part, notre rapport aux choses n'est plus le même ; le « télévore » n'entre plus aussi spontanément en contact avec la réalité sensible. Jerry Mander, un pionnier dans ce type d'analyse de la télévision, écrivait : « Devant la télé, j'ai l'impression, au bout d'un certain temps, que les images coulent en moi sans que je ne puisse rien faire contre[2]. »

La dimension sans profondeur

Un cerveau humain branché sur la télévision est une victime manipulée de bien des manières, qui ont toutes en commun d'être hors du champ de la conscience. Ces manipulations pourraient être anodines si elles avaient lieu quelques heures par mois ; mais quand elles sévissent des dizaines de milliers d'heures dans une vie, on assiste forcément à une déformation profonde des esprits.

En fait, la fréquentation forcenée de la télévision nous sépare d'une perception normale du temps et de l'espace, ces deux catégories mentales dont Kant disait qu'elles constituent la texture même de la pensée humaine. D'une part, l'immersion dans une émission de télévision substitue au temps réel (et à notre horloge interne) un temps étranger et différent : le rythme des plans, de la musique, des images, l'ordre et la logique interne des séquences remplacent notre rythme personnel en le dominant. Notre esprit décroche ainsi du temps réel pour s'amarrer au temps artificiel créé par le contenu télévisuel.

De la même façon, l'espace est annihilé. Les relations spatiales entre les objets qui nous entourent perdent de leur clarté ; notre position dans l'espace, la conscience d'être à un endroit ou de se déplacer s'atténuent pour atteindre un niveau plancher, quasi végétatif.

Hors du temps et de l'espace, notre esprit flotte entre les images télévisées comme une brindille au gré des flots. Cet abandon et cette manipulation forment probablement l'essentiel de l'effet euphorique lié à l'activité télévisuelle. Quel que soit le contenu d'une émission, cet effet de stupéfiant est aussi constant qu'invisible. Il se cristallise par l'insensibilisation des catégories de temps et d'espace. Personne ne serait vraiment surpris si des recherches d'ordre neurologique révélaient un jour que certaines hormones sont sécrétées par le cerveau sous l'influence des stimulations télévisuelles ou que d'autres sont inhibées sous leurs effets.

Certains sentiments étranges que nous éprouvons par moments, comme celui de ne pas « assez vivre », d'être trop détachés de notre entourage et de la nature, de nous sentir déconnectés du monde, d'avoir de la difficulté à vivre intensément nos journées, toutes ces sensations intermittentes sont favorisées, sinon causées par la fréquentation excessive du petit écran. La télévision et son accoutumance sécrètent une schizophrénie latente qui détache l'individu de la réalité du monde. La schizophrénie est devenue la plaie psychopathologique de notre époque, et la télévision nous y attire comme un miel pernicieux.

Regarder vivre l'univers par le petit bout de la lorgnette télévisée, ce n'est pas vivre, mais flotter autour de ses propres sensations, dans un sentiment de vide intérieur et de frustration. La prière télévisuelle, contemplation platonique de l'icône magique, stérilise l'action et le goût de transformer le monde.

Bouger, nager, faire l'amour, lire, converser, fabriquer un objet, voilà qui est le contraire de l'esprit de la télévision. Mais alors, pourquoi la plénitude de telles « vraies activités » ne nous éloigne-t-elle pas de la paralysie sensorielle de la télévision ? Quelles jouissances assez puissantes ressentons-nous pendant une émission pour préférer la télévision durant 30 heures par semaine à des activités vivantes et stimulantes pour tous nos sens ? Répondre à ces questions implique de comprendre certaines dépendances des humains à toute une classe de produits étranges, à la fois attrayants et répugnants.

Le calice sucré

Dans le « système des objets » qui nous entoure et que nous absorbons par le toucher, le regard ou le goût, dans cet univers des objets que nous achetons, aimons puis détruisons, le spectacle télévisuel constitue un mets de choix. En fait, il possède toutes les caractéristiques d'un bon plat sucré ou d'une succulente friandise (alors que le téléviseur lui-même appartient évidemment au monde des meubles et des gadgets).

Les diététiciens surnomment le sucre « le tueur blanc ». Aliment parmi les plus répandus de notre alimentation — comme le sel, il ne coûte presque rien —, il est aussi populaire que menaçant pour la santé de chaque individu. La tentation de le consommer à l'excès se maîtrise difficilement, et la tablette de chocolat, le gâteau ou la tarte hantent notre vie quotidienne comme des tentations permanentes... aussi accessibles que le téléviseur ! Pourtant, chacun sait qu'une bonne santé, une forme physique convenable ou un tour de taille acceptable nécessitent une alimentation saine et exigent d'éloigner de sa bouche le « calice sucré » et de demeurer stoïquement dans l'abstinence. Le péché du sucre recèle en lui-même sa propre punition : kilos en trop et métabolisme déréglé. Tout dangereux qu'il soit, le chocolat sucré se laisse déguster avec tellement de jouissance... L'abus vient de ce que notre palais tombe littéralement en pâmoison devant les molécules de saccharose ou de dextrose. Quand on s'abandonne aux plaisirs risqués du sucre, la gratification survient de façon forte et immédiate. Nuisible plus tard mais si délicieuse dans l'immédiat !

Le sucre agit dans l'organisme comme un prototype de la sensation vide : spectaculaire par son goût, la molécule de sucre ne nourrit pas, mais en donne seulement l'impression. Elle engorge l'organisme au lieu de le renforcer. La nature du sucre est d'être un ramassis de calories vides, tout comme la nature de la télévision est de concentrer les sensations vides. La séduction qu'exerce le sucre sur le palais et les papilles gustatives épouse celle qu'exerce la télévision sur le cerveau et le système nerveux. Les images télévisuelles coulent dans l'esprit avec une douceur câline et un sentiment de dégustation facile, procurant une gratification instantanée.

La douceur d'être téléspectateur

Dans son exploration de la galaxie télévisuelle, McLuhan n'a pas assez marqué le fait que le « message » de la télévision est d'abord un état agréable à vivre, comme le fait de sucer un bonbon. Immobile et passif, l'individu assis ne fournit aucun autre effort que d'ouvrir les yeux et d'écouter. Il déguste ainsi une sorte de sucre visuel, agrémenté de cette détente métaphysique qui consiste à se trouver hors du regard d'autrui, hors de la compétition et hors du jugement de ces « autres » dont on a dit qu'ils étaient l'enfer.

Jamais le mot « spectacle » n'a eu autant le sens de voyeurisme pour humains fatigués. On déguste la télévision comme une gratification chaude et immédiate dont les effets pervers, à peine conscients, ne parviennent pas à étouffer la douceur d'être téléspectateur, livré corps et âme au gré des images.

L'être le plus averti des méfaits diététiques du sucre finit par succomber tôt ou tard à l'appétissante profiterole. Quelque part dans notre mécanisme cérébral, la pulsion immédiate de sauter sur la douceur sucrée et télévisuelle remporte aisément le combat contre nos préventions logiques issues du principe de réalité. Mais le péché consommé, on bat sa coulpe : « Moi qui veux tant maigrir, comment ai-je pu succomber à une vulgaire truffe au chocolat ? Je n'avais même pas faim ! » ou encore « Au lieu de rencontrer mes amis, de lire ou de jouer au tennis, je me suis écrasé toute la soirée devant cette damnée télévision ! Pourtant le film était tellement débile ! »

La « séduction maléfique » du sucre renvoie au plaisir du péché, qui constitue une dominante clé de la psychologie humaine : vieux comme Adam et Ève, générateur de stress et d'angoisses culpabilisantes, son processus inclut toutes les phases de la tentation, de la séduction, du rejet et de la pénitence. Tentation, crime, châtiment : le trio infernal malaxe la pauvre nature humaine depuis le début des temps !

À sa manière particulière, la télévision est l'une des tentations coupables qui tournent autour de notre vie. Elle hante nos faiblesses quotidiennes sous le mode du petit geste facile et anodin : tourner le bouton du récepteur déclenche une satisfaction instantanée, mais déclenche aussi la chaîne de l'envoûtement et de l'esclavage.

Établissons ici une différence de taille : l'impact conscient de la consommation abusive de la télévision est quasi nul, alors que les liens entre le sucre et l'embonpoint font l'objet d'une prise de conscience partagée par la population, alimentée par des campagnes de sensibilisation et des cours dans les écoles ! Mais les influences perverses de la télévision n'ont pas encore percé la muraille des refoulements inconscients. Les discours habituels ne s'intéressent qu'aux contenus des émissions, sans analyser la place écrasante du phénomène télévisuel dans la vie quotidienne des gens, ni en quoi il peut les broyer.

La télévision tape-à-l'œil

Bombe à Bagdad : 14 morts. Démission surprise du président Machin. Courses à cheval. Poursuites effrénées d'autos. Le mitraillage fauche les soldats. Touché, l'avion s'écrase derrière la colline. Les cow-boys dévastent le saloon dans un pugilat acharné. Le mari trompé se tue d'un coup de revolver dans la tempe. Jacinthe apprend que son nouveau-né est mongolien. Claude se demande s'il est vraiment le fils de son père. Les infirmières de l'hôpital se précipitent pour sauver le cardiaque de la chambre 56...

Le sensationnalisme imprègne chaque instant de la télévision. À défaut de donner à ses adeptes des sensations tactiles ou sensori-motrices chaleureuses, la télévision compense par une débauche de scènes sensationnelles. Celles-ci découlent en toute logique des longues heures de station assise devant l'appareil et devant un écran trop petit : puisqu'il est impératif de garder un individu dans cette position durant un temps terriblement long (trois ou quatre heures d'affilée), le contenu ingurgité doit attacher la victime à son siège par une succession de coups d'éclat, d'images-chocs et de surprises clinquantes. Le principe consiste à maintenir l'esprit en déséquilibre permanent par une sorte de tape-à-l'œil qui l'étonne et le malmène.

La télévision crée le sensationnel comme une inflammation produit la fièvre. Le spectaculaire télévisuel ne provient pas d'un choix volontaire du réalisateur ou d'une passade discutable des patrons de la station. Non : la télévision baigne dans le sensationnel par nature, et ce, dès que son but premier est d'étirer au maximum sa pénétration et son temps d'écoute. Dans le mitraillage actuel d'émissions et de chaînes qui se font concurrence, une télévision dépourvue de sensationnalisme est tout simplement inconcevable et constitue une contradiction dans les termes.

La texture morne et terne de l'appareil de télévision doit être compensée par un contenu violent, qui émoustillera le client et le maintiendra en place par des scènes qui, du point de vue mental, équivalent à quelques gifles en plein visage — ce qu'il faut pour garder l'attention à son niveau maximal. Les publicitaires ne toléreraient jamais que les esprits de millions de téléconsommateurs qu'ils désirent influencer virevoltent au petit bonheur la chance et prennent quelques libertés vis-à-vis de l'émission en cours. Quelle défaite si un moment plus faible incitait certains à démissionner, à se lever pour une promenade, à faire l'amour ou à ouvrir un livre !

Au fond, l'enchaînement des séquences ressemble à une douche écossaise ininterrompue, qui tantôt nous plonge dans l'eau chaude d'un média soporifique et inhibant et tantôt nous réveille par l'eau glacée du coup d'éclat accrocheur et brutal.

Les scènes sensationnelles surgissent donc à intervalles irréguliers mais constants, formant le corps même des émissions télévisées. Le reste sert de remplissage entre les images-chocs, sur le mode « temps forts/temps faibles » qui se déterminent les uns les autres. Un tel principe est particulièrement utilisé dans la conception des séries dites « à l'américaine » et correspond bien aux observations scientifiques au sujet de l'attention. En effet, celle-ci ne se maintient que par une rupture brutale des enchaînements de scènes : 60 accidents d'autos à la suite ne forment plus un ensemble sensationnel, alors qu'un seul, amené au bon moment, fait palpiter le cœur du téléspectateur et l'enfonce encore pour un bon bout de temps dans son siège.

Selon cette logique, les interruptions publicitaires n'interrompent absolument rien. Dans la succession des séquences publicitaires étalées sur plusieurs heures, une annonce constitue une rupture parmi tellement d'autres qu'elle finit par faire partie de l'ensemble, dans une absolue continuité des ruptures.

D'un point de vue psychique, regarder la télévision équivaut à brancher son cerveau sur de véritables montagnes russes, pour une promenade effrénée en dents de scie, dont les bas s'expliquent par les hauts et réciproquement. Ruptures visuelles, ruptures sonores, ruptures logiques, tout concourt à créer cette sensation d'étonnement qui tient le client en alerte. Que va-t-il encore advenir durant les prochaines minutes ? Le spectateur se tient en éveil pour la prochaine dose de sensationnel, complice de sa propre manipulation.

CHAPITRE V
Je bouge, donc je suis

> *Ce que nous donnent les communications de masse, ce n'est pas la réalité, c'est le vertige de la réalité.*
>
> Jean Baudrillard [1]

L'OBSESSION du petit écran pour le mouvement le fait s'y vautrer et s'y immerger jusqu'à plus soif, et cela s'observe au cours d'une soirée de télévision ordinaire, à condition d'y porter attention. Dans une course névrotique, la télévision montre seulement ce qui bouge ; lorsque cela ne se démène pas assez, les scènes sont découpées pour former des plans très courts, hypernerveux, de trois secondes en moyenne. L'ensemble donne le sentiment d'un grouillement délirant, ponctué d'éclats sonores du même acabit. L'expression « en mettre plein la vue » résume bien la texture ordinaire de la télévision.

La télévision a des attendrissements curieux pour certains univers visuels, basés uniquement sur l'obsession du mouvement, tandis qu'elle en rejette d'autres. Ainsi, les reportages de vulgarisation font la belle part à la vie animale : lions bondissant dans la savane, gros plans d'insectes en pleine action, requins fendant les flots. À l'inverse, la vie végétale, la botanique ou la géologie, pour ne citer que [illegible] sont superbement ignorées par les artisans de la [illegible] font un mauvais spectacle : immobiles, sans agitation [illegible] et les minéraux ne sont pas assez « consommables » par la frénésie télévisuelle.

On pourrait aligner bien d'autres exemples semblables, comme l'obsession de la télévision pour les fusées, mais son désintérêt total pour l'astronomie ou l'astrophysique. Les galaxies ne sont pas assez agitées pour animer le délire imagier d'une soirée de télévision.

Une télévision intelligente ?

« La télévision montre, mais n'explique rien », fait-on remarquer. Le contraire du sensationnel est justement l'exposé ordinaire des faits dans une succession chronologique ou logique, où les morceaux s'enchaînent doucement les uns aux autres, à l'image de la vie. C'est le seul moyen de bien comprendre les choses. Or, les artisans de la télévision soutiennent dur comme fer que leurs cotes d'écoute, seuls critères du Bien et du Mal, chuteraient dans le fond de la cave s'ils adoptaient pareille structure d'exposition de leurs produits. Ce qui se défend à l'intérieur d'une logique où la pénétration maximale et à tout prix d'une émission est le seul critère d'évaluation du produit.

On imagine mal les fabricants du sensationnel à hautes doses prendre soudain conscience de la direction où ils ont engagé toute la télévision occidentale, en concevoir quelques doutes, voire quelques remords et — ô miracle ! — se réorienter... Structurée autour du clinquant et du « m'as-tu-vu ? », la télévision est une immense entreprise mensongère et un martèlement constant qui va à l'encontre de notre capacité de réfléchir ; elle a viscéralement besoin de ce mode de fonctionnement pour établir sa domination sur notre vie quotidienne. Autrement, les écailles tomberaient des yeux des téléspectateurs, qui réaliseraient la petitesse bornée de l'esprit télévisuel.

Une télévision dense et intelligente — car cela peut exister — ne s'absorbe qu'à petites doses et devient insupportable, voire monotone, au bout de deux heures. C'est alors que les spectateurs devraient passer à autre chose... au lieu de patauger 25 heures par semaine dans un flot bêtifiant.

Nous touchons ici le paradoxe le plus étrange de la télévision : ne vivant que de sensations fortes et de clinquant, on pourrait s'attendre à ce qu'elle génère un océan d'images fascinantes, surprenantes, inédites. Sans cesse, elle pourrait nous transporter sur d'autres planètes de sensations visuelles, en dépassant notre mode habituel de perception pour nous ouvrir à des scènes jamais vues. Quelle déception ! En lieu et place de l'inédit, le sensationnel dissimule un fond composé des clichés les plus plats. Sous la houle clinquante de la surface, l'océan télévisuel brasse encore et toujours les mêmes courants de conformisme et de stéréotypes.

Le cliché télévisuel se définit comme une image ou une série de scènes vues et revues mille fois, au contenu usé à la corde. L'art de la télévision consiste à donner l'illusion de la nouveauté, alors qu'elle use d'images défraîchies par un usage abusif composant toujours les mêmes ritournelles, dont on connaît à l'avance le début, le milieu et la fin.

Tenez, par exemple, cette sempiternelle dame qui pousse son chariot dans le supermarché, saisit une boîte géante de savon et se tourne vers la caméra d'un air complice en disant: « Moi, je fais toujours confiance au savon Machin ! » Dans ce genre de scène éculée, le concepteur de l'annonce choisit délibérément de passer son message par le biais d'un cliché lourd, comme on réutilise une vieille recette qui, tout ennuyeuse qu'elle soit, a fait ses preuves. À un degré variable, toute l'organisation des images de la télévision dérive de cette approche.

Le langage est lui aussi tissé de lieux communs et de stéréotypes qui prennent la place de la créativité et de la réflexion (ce qui, soit dit en passant, n'a aucun rapport avec le niveau d'instruction). Les proverbes, slogans publicitaires et expressions toutes faites abondent dans notre langage quotidien et servent de supports préfabriqués à beaucoup de nos idées: or, qui dit support dit aussi prothèse et dépendance de la prothèse.

Le premier à avoir dit qu'untel avait le visage « blanc comme un drap » innovait; mais aujourd'hui, l'utilisateur de la métaphore nous sert une vieille sauce réchauffée ! À la limite, ces « emprunts » verbaux ou visuels peuvent avoir fonction de remplissage dans un texte, une phrase ou une séquence filmée. Une sorte de grand « heu... » étiré qui lie deux phrases. Quand la télévision nous montre un champ de fleurs sur fond musical, en attendant le début de l'émission suivante, la fonction de remplissage neutre du cliché visuel est fort claire. Et le cliché possède l'avantage de ne fatiguer ni le concepteur ni le spectateur... tandis que la création permanente est éreintante, pour l'un comme pour l'autre !

Une des formes les plus creuses du cliché est la redondance, c'est-à-dire la répétition abusive d'un même effet. Qu'un acteur glisse sur une pelure de banane, et nous nous esclaffons ! Mais qu'il y glisse sept fois de suite, et nous pataugeons dans le cliché répétitif le plus épais. Or, la télévision excelle justement dans la redondance, au point d'en devenir un immense entrepôt: concours, poursuites automobiles, amateurs de bière en planche à voile, bavardages de vedettes… nous assistons toujours aux mêmes rengaines, usées jusqu'à la corde.

Faites-en l'expérience : notez les scènes vraiment inédites qui apparaissent sur l'écran de votre téléviseur en l'espace d'une heure. Vous serez ahuris par le conformisme répétitif de la grande majorité d'entre elles. Pourquoi la télévision se plaît-elle autant dans le poncif redondant ? Pour y répondre, revenons à l'usage quotidien que nous faisons de notre joujou préféré.

Téléréalité et télémystification

Jouer au voyeur officiel en regardant vivre des *alter ego* anonymes sous l'œil de la télévision, voir se développer des relations humaines inédites comme sous la lentille du microscope et même avoir son mot à dire quant à leur survie : telles sont les apparences manipulées d'un nouveau genre d'émission. Les producteurs présentent la « téléréalité » comme une « nouvelle télévision », tandis que certains critiques en parlent comme du « comble de l'insignifiance médiatique ». Dans les deux cas, on se laisse mystifier par les apparences et la propagande. Dans le fond, nous sommes dans une continuité parfaite avec la bonne vieille télévision. La rupture n'existe qu'au niveau de l'étiquette.

Occuper du temps entre les messages publicitaires, organiser la structure des émissions pour que le spectateur s'y colle de longues heures, voilà bien ce que nous décrivons comme l'essence même de la télévision. La téléréalité n'est donc qu'une vieille recette remise au goût du jour.

La téléréalité est, bien sûr, le comble de la platitude : sur 24 heures, on doit sélectionner les scènes les moins ternes pour en extraire un semblant de séquences piquantes, créer des situations artificielles pour animer les quidams quelques minutes par jour. Auparavant, on a sélectionné des personnages aux belles gueules, sans aspérité idéologique — ils n'ont d'idée tranchée sur rien, hormis leur préférence en matière de déodorant —, sans aspérité physique — aucun handicap, aucune minorité ethnique. Tout ce travail préalable vise à présenter des personnages en basse définition, sans profondeur, sans intensité personnelle, sans vision sociétale, nageant dans la rectitude politique la plus triste, incapables de formuler une idée complexe à l'aide d'un vocabulaire un peu élaboré. Présenter cela comme la « vie réelle », par opposition à un téléroman, par exemple, est une mystification perverse. Comme l'exprime Estelle Lebel, « On dit aux spectateurs qu'ils vont voir de la réalité mais on leur présente des émissions construites, mises en scène, où les acteurs (beaux et jeunes) ont reçu une formation au moins minimale pour jouer devant la caméra[2]. »

À l'avenir, la formule va sûrement devenir de plus en plus scénarisée, tout en gardant son étiquette mensongère de « réalité ». On peut prévoir que de plus en plus d'acteurs professionnels seront glissés dans les épisodes. La construction dramatique et l'intensité du jeu vont forcément prendre le dessus sur cet attrape-nigaud et ces quidams.

Bernard Arcand a dit : « Alors qu'une bonne fiction peut condenser en deux heures toute l'essence du drame humain, dans ces émissions, on se contente de laisser tourner la caméra devant des personnes dans l'attente qu'il se produise quelque chose[3]. » Mais aujourd'hui, l'attente passive du producteur est de moins en moins présente. Dans peu de temps, on se surprendra de l'intérêt qu'a suscité ce simple tour de passe-passe publicitaire visant, comme les autres émissions, à visser à leur fauteuil plus de gens, plus longtemps.

Michel Rivard écrivait :

> « Téléréalité » est un oxymoron. Ne cherchez pas les mauvais jeux de mots, j'ai bien dit oxymoron : expression composée de deux mots qui semblent contradictoires. « Télé » et « réalité » ne font pas que sembler contradictoires, ils le sont. Ces deux mots ne vont plus ensemble depuis longtemps et il faut être vraiment naïf pour croire le contraire. Comment quelqu'un qui prétend être sain d'esprit peut-il ignorer le fait qu'à partir du moment où on nous montre quelque chose à l'écran, il y a déjà tournage, montage, maquillage, camouflage et plein d'autres mots en « age » qu'il serait trop long d'énumérer ici ? Il n'y a rien de vrai à la télé, à part la météo et les tirages de Loto-Québec. La réalité est ailleurs[4].

La télévision, une bonne grosse pizza

Comme ces mets archiconnus que l'on déguste sans surprises, notre télévision quotidienne nous balade dans un univers expurgé de tout étonnement réel. La réalité s'y trouve rétrécie et compacte, sous la forme plus digestible du cliché et de l'image facile à consommer.

Avec une dose de 25 heures par semaine, même le psychisme du téléspectateur le plus endurci ne supporterait pas la nouveauté et l'imprévisible traversant l'écran de façon systématique, ni que les sons et les images soient montés en recherche incessante d'originalité. Nos abus de téléconsommation bloquent directement l'innovation.

On lui préfère la mastication lente et paresseuse d'émissions qui s'enfilent les unes aux autres comme les bouchées identiques d'un plat cuisiné mille fois: ici, un bout de salami, là une épluchure d'anchois, mais en tout cas rien qui perturbe le cours des goûts reçus et attendus.

À l'intérieur de sa trame sensationnelle, la télévision patauge dans l'image facile comme dans son élément naturel. Elle refuse de secouer son valeureux téléspectateur écrasé de l'autre côté de la caméra, émue sans doute par ses yeux irrités et son dos endolori par ces interminables heures passées devant l'écran. On le nourrit à la petite cuillère d'images sirupeuses où meurtres, messages publicitaires et accidents s'organisent, par miracle, en une continuité fort supportable.

En somme, la télévision tient à la conformité comme à la prunelle de ses yeux. La surprise esthétique, logique ou idéologique est soigneusement évacuée du contenu des émissions. Ses « artisans » sentent bien qu'à fortes doses, leurs adeptes « claqueraient » proprement dans leurs salons si la télévision régurgitait autre chose que du cliché à répétition. Consommée à la limite du temps disponible de chaque individu, la télévision interdit pratiquement une utilisation dense de son potentiel de communication.

Beaucoup de bruit pour rien

On saisit bien l'univers logique où évolue l'esprit télévisuel en évoquant ses contraires: la création, l'innovation en profondeur, la recherche du Beau, du Vrai, du Juste ou des règles qui gouvernent notre univers.

Écoutez *Le sacre du printemps* de Stravinski; examinez *Les demoiselles d'Avignon* de Picasso; lisez *Le voyage au bout de la nuit* de Céline. Trois œuvres fortes qui, chacune dans son registre artistique, rompent avec celles qui les précédaient. Cette rupture tient essentiellement à l'évocation fulgurante d'un monde en discontinuité et en désagrégation. Dans de telles œuvres, l'inquiétude rôde et l'amateur s'y promène avec une angoisse fascinée, sans filet de sécurité ni points de repère. Impossible de savoir où l'artiste nous conduit.

L'art retrouve ainsi sa vraie nature aventureuse, qui est de sonder les limites de la destinée humaine. À chaque époque de l'histoire, les grandes créations artistiques dissolvent les clichés pontifiants et osent rompre avec des formes de pensée toutes faites, des certitudes bétonnées. L'esprit de la télévision est à l'exact opposé, figé dans la répétition des mêmes images, sous l'emballage du mouvement perpétuel.

Jamais dans sa courte histoire, la télévision ne s'est située aux frontières d'une quelconque recherche artistique.

De son côté, l'esprit scientifique n'espère plus non plus traverser la frontière télévisuelle. Rechercher la vérité des choses par des méthodes rigoureuses, retrouver les variables déterminant l'apparition d'un phénomène, expérimenter pour tester modestement des hypothèses, toutes ces démarches et cet esprit sont étrangers à l'utilisation ordinaire de la télévision. Ceux qui espéraient que le petit écran serve d'instrument pédagogique incomparable pour vulgariser la science et ses méthodes ont déchanté depuis longtemps. Le doute méthodique ou la rigueur n'a rien à faire avec l'esprit télévisuel, car la recherche est l'opposé du cliché paresseux.

Le petit écran a même réussi l'exploit de dénaturer les scientifiques eux-mêmes, les réduisant le plus souvent à des Frankenstein dangereux, au mythe du savant fou rêvant de conquérir le monde. Quand elle traite de découvertes scientifiques, la télévision les ramène toujours aux dimensions étroites de sa lorgnette : tape-à-l'œil, sensationnalisme et mosaïques sans suites causales. Connaissez-vous bien des émissions qui se sont donné la peine de décrire scientifiquement la nature du sida ou les données majeures de la démographie mondiale ?

La quintessence de la télévision

Pour notre propos, distinguons deux sortes de contenus télévisuels. Il y a d'abord ce qu'on peut nommer une radio à images : c'est le cas d'une entrevue, d'un commentaire ou d'une table ronde. Il s'agit d'une forme de télévision dans laquelle le visuel supporte simplement la parole et la complète. Une pièce de théâtre télévisée ou la diffusion d'un concert appartiennent souvent à cette télévision douce, où la caméra se fait presque oublier.

À l'autre bout du spectre, la télévision peut se déployer à la limite de ses possibilités de montage, d'images syncopées et de mouvements en succession rapide. Cette télévision déchaînée trouve sa quintessence dans le vidéoclip. Les plans sont recherchés pour leur étrangeté et s'organisent en montage haché finement d'où ils surgissent en flash d'une ou deux secondes. La bousculade d'images s'accorde au déferlement musical et celui qui s'y absorbe entièrement en sort l'esprit littéralement martelé.

Tout contenu télévisuel s'insère quelque part entre ces deux pôles (dont l'un n'est pas forcément plus original que l'autre). Mais au fond, la télévision la plus authentique — celle qui accorde le fond et la forme — est celle du vidéoclip. Le rythme haletant des images lancées en désordre, toujours sur fond des stéréotypes les plus grossiers, y trouve sa pleine mesure. La densité des hameçons visuels qu'utilise la télévision pour retenir le spectateur y est plus intense qu'ailleurs, plus concentrée, comme celle des meilleures publicités.

Des chercheurs ont mis en lumière la structure épurée du clip, basée sur la parataxe, mot emprunté à la linguistique pour signifier une forme d'exposition des « mots-images » précédant toute syntaxe. Les éléments visuels ou langagiers sont jetés en vrac, à charge pour le récepteur d'organiser ce désordre comme il le peut. Les exemples les plus connus de parataxes sont les mots épars des jeunes enfants, lancés sans syntaxe (ou phrase) et en l'absence de liens logiques entre eux (comme des conjonctions ou des pronoms). Que la télévision à son meilleur s'apparente au langage enfantin et présyntaxique, cela exprime aussi une régression mentale sur laquelle nous reviendrons.

Le vidéoclip exploite donc une forme tellement syncopée que la moyenne des gens ne la supporte pas longtemps. En conséquence, on s'aperçoit que les vidéoclips évoluent aujourd'hui vers des formes moins agressives, moins dérangeantes. Devenus des hors-d'œuvre ordinaires de la télévision, débarrassés des piments étranges qui les caractérisaient à leurs débuts — pleins d'innovations et de recherches formelles —, les vidéoclips s'insèrent maintenant dans le quotidien des programmes. Ainsi, un grand nombre de publicités commerciales adoptent la forme du vidéoclip « allégé ». De cette façon, ce qui aurait pu devenir une innovation importante de la télévision a été récupéré par l'immobilisme bon enfant de la programmation ordinaire, là où tout se perd et rien ne se crée.

Le faux et le vrai

Il y a quelques années, certaines expériences révélèrent que les enfants distinguaient peu et mal les images inventées de la télévision de la réalité filmée. Ce qui pouvait, on en conviendra, conduire à des situations gênantes.

Pour illustrer ce fait, le célèbre Musée des sciences de Boston organisa une exposition originale. Plusieurs écrans de télévision faisaient défiler des images de gens se faisant littéralement tuer à la chaîne : victimes de guerre ou de fusillades policières, accidentés de la route et cadavres de toutes sortes. La plupart de ces vidéo-tueries étaient tirées de films hollywoodiens courants, dans lesquels des bataillons de Japonais ou d'Indiens se faisaient faucher à la pelle, et des bandits de western et des gangsters d'opérette se faisaient trucider à la douzaine. En somme, la routine télévisée, l'hécatombe ordinaire d'une soirée au petit écran ! Mais parmi ces performances de cascadeurs étaient insérées de vraies séquences filmées, dans lesquelles des êtres humains mouraient réellement sous les yeux du visiteur : extraits de reportages de la Deuxième Guerre mondiale ou de la guerre du Viêtnam, un guérillero abattu de sang-froid dans une rue de Saigon, cadavres de mafiosi victimes de règlements de comptes, vrais accidentés de la route et *tutti quanti*... L'horreur de la mort violente devant la caméra voyeuse.

À l'aide de manettes, les jeunes visiteurs du Musée étaient invités à « voter » en distinguant les vraies des fausses morts, les tueries authentiques des fictives. Comme on s'en doute, l'expérience démontra que les jeunes confondaient allègrement les séquences et, pis encore, trouvaient généralement plus « réalistes » les contorsions agonisantes des acteurs. Comme un spectacle mal monté, la vraie mort manquait de sensationnel !

Cette expérience illustre en tout cas que la vie par procuration occulte la réalité vécue. L'imposition d'images de fiction crée une perception déformée de la réalité et s'y substitue. C'est plus étonnant encore lorsqu'on réalise que les fausses morts de la télévision sont les plus aseptisées qui soient : pas de sang, pas de membres arrachés ou de thorax éventré ! Des morts proprettes de studio, à mille lieues du carnage des vrais meurtres et des champs de bataille. L'horreur de la violence est balayée par le système télévisuel et soigneusement évacuée. Ne restent que les clichés pour âmes sensibles, symboles de cadavres plutôt que cadavres avec leur densité visuelle inquiétante. L'agonisant de la télévision a seulement le droit de régurgiter un filet de sang en débitant ses ultimes confidences au héros qui l'assiste dans ses derniers instants.

Ainsi, on nie la réalité de la violence. Si la guerre est ce qu'on en voit au petit écran, alors elle se supporte plutôt bien. La télévision enlève ainsi aux faits leur consistance brutale, comme elle enlève aux sentiments leur tension émotive. Par essence, le sensationnel de la télévision est le plus plat qui soit. Il esquisse la réalité crue pour l'escamoter l'instant d'après, ne laissant sur l'écran que l'ectoplasme d'une émotion fulgurante. Il vide les sensations et les situations au point où, par son entremise, des circonstances à forte charge émotive sont déchargées et deviennent de pâles fantômes.

Média froid, la télévision refroidit toute chose, maquille la mort, la guerre et la violence. Au petit écran, rien ne peut vraiment émouvoir : une image chasse l'autre... ne reste qu'une succession de sensations vides.

Se plaindre de la violence à la télévision, comme on l'entend souvent, est foncièrement absurde. Moi, je me plains plutôt de ce qu'on ne nous montre pas à fond ces morts ! Ces accidents, ces meurtres et ces cadavres, je veux les examiner de près et dans toute l'horreur normale de la chose, dans l'espoir que cela vide un peu les salons de leurs esclaves télévisuels et que, par la même occasion, leurs cerveaux soient débarrassés de quelques-uns des clichés béats qui les encombrent.

La sociologue américaine Maria Winn écrivait :

> Une fois que la fiction de la télévision est incorporée à la réalité du spectateur, le monde réel prend une couleur d'irréalité ou d'insipidité quand il ne confirme plus l'attente ou les espoirs créés par la « vie télévisée ». La séparation entre le réel et l'irréel s'estompe plus ou moins. Les conséquences de cette confusion des deux univers apparaissent dans nos quotidiens : 37 personnes voient qu'on assassine une femme dans une cour sans se porter à son secours, comme si c'était un drame télévisé. Un adolescent, témoin d'une terrible tornade dévastatrice, s'écrie tout bonnement : « Mon vieux, c'était comme quelque chose à la télévision ! » [5]

La télévision qui masse... et drogue

Les effets doucereux de la télévision ne proviennent pas seulement du contenu des émissions qui coulent sous nos yeux comme un ruisseau mielleux d'idées toutes faites, dans lesquelles tout ce qui peut déranger a été sablé et aplani par des spécialistes. À cela s'ajoute un effet proprement physiologique.

Puisque, comme toutes les drogues, la télévision dissimule sa nature profonde et prétend être autre chose, posons la question : qu'est-elle de façon la plus évidente ? *Une lampe, bien sûr !* D'abord et avant tout une lampe, une source lumineuse étalée sur une surface d'environ 2000 centimètres carrés — superficie qui augmente constamment depuis les premiers téléviseurs. Il suffit d'éteindre l'éclairage de la pièce pour reprendre conscience de cette réalité première : plusieurs heures par jour, des millions de téléspectateurs fixent en face une lampe d'intensité moyenne. Voilà le cœur du phénomène télévision.

D'un point de vue physiologique, cette source lumineuse « masse » le cerveau et le masse doublement : d'abord par son contenu réduit au minimum, sans nulle aspérité qui pourrait déranger notre univers de clichés faciles, et ensuite par l'effet hypnotique et doucereux de la lampe. Tout se passe comme si la télévision distillait une sorte de chaleur légère et volatile qui s'introduit dans l'esprit. On s'y laisse couler avec délice, comme dans un sommeil ou un rêve semi-conscient. De la lampe télé à notre cerveau, quelque chose passe qui favorise l'abandon et le relâchement, tant des muscles que de la vigilance mentale.

L'œil fixe

Certains analystes ont également signalé un phénomène symptomatique du monde artificiel où nous plonge la télévision : il est pratiquement impossible de regarder le petit écran en bougeant les yeux. En effet, en fixant uniquement le centre de l'écran, l'œil embrasse toute l'image lumineuse. À cause de la petitesse de l'écran, la fixité du regard accompagne forcément toute l'activité télévisuelle. Or, ce phénomène ne se retrouve que dans très peu de situations ordinaires de la vie. Lorsque nous sommes en auto, au cinéma, lorsque nous marchons, lisons ou mangeons, notre œil bouge constamment, balayant un certain panorama. À l'inverse, la télévision nous oblige à nous comporter comme d'authentiques zombis, à demi hypnotisés, passifs et immobiles, véritables éponges à images.

On ne s'étonnera pas des résultats de plusieurs enquêtes qui ont mis en lumière — c'est le cas de le dire — le fait que des millions d'individus s'endorment chaque soir devant leur téléviseur. Des humoristes accusèrent aussitôt la piètre qualité des émissions. Mais, évidemment, l'explication réelle est plus complexe. Comme toute source lumineuse, la télévision hypnotise et endort naturellement, de façon d'ailleurs agréable. On connaît même des cas « d'allergies » véritables à la télévision, au sens où certaines personnes s'endorment de façon presque immédiate devant le petit écran.

La drogue lumineuse

Ce massage cérébral procure directement un effet de plaisir similaire à celui d'une drogue. C'est bien plus qu'une métaphore, puisqu'on retrouve véritablement le mode de consommation de toute drogue :

usage habituel et répété, tendance à une consommation accrue pour obtenir des effets identiques, aveuglement quant aux effets secondaires, négation de mauvaise foi quant au lien passionnel avec le produit.

Il n'est pas nouveau qu'on dise de la télévision qu'elle est une drogue authentique, au même titre que le tabac, l'alcool, les amphétamines ou la marijuana. Mais on se limite généralement au plan métaphorique et analogique, pour créer un effet de style. Or, dans la réalité quotidienne, la relation du téléspectateur avec la télévision correspond exactement à celle de tout drogué avec sa drogue [6]. La télévision calme les anxiétés et procure une sensation immédiate d'apaisement; elle provoque une accoutumance évidente, au point que certaines personnes paniquent dans une maison sans télévision, et que lors d'une panne d'électricité ou de récepteur, on doit réapprendre péniblement à se satisfaire d'activités substitutives.

La télévision ne provoque aucun effet de satiété et, contrairement à l'alcool ou à d'autres drogues, on la consomme sans qu'aucun sentiment de dégoût ne vienne arrêter le processus d'ingestion. Seuls le manque de sommeil et les yeux rougis finissent par avoir raison du drogué télévisuel (au contraire de la faim, qu'un mécanisme biologique dit de satiété finit par apaiser lorsqu'une certaine quantité de nourriture est ingurgitée). Comme toutes les drogues, l'effet calmant de la télévision est réel, mais elle provoque d'autres anxiétés qu'on s'empresse de calmer par un supplément de télévision. Ainsi, l'alcoolique commence à boire pour supporter son milieu familial ou professionnel et finit par boire pour se supporter comme alcoolique. L'image qu'il a de lui-même se fissure et se dénature, il se perçoit souvent comme un raté et tente de l'oublier avec l'alcool (ou l'héroïne, etc.).

Ce genre de structure en forme de cercle vicieux se reconnaît dans l'esclavage de la télévision. Activité creuse, non valorisante et non créatrice par excellence, regarder la télévision sécrète automatiquement un sentiment de frustration chez son consommateur. Rendu passif, réduit à un rôle de machine à gober bêtement les images impérialistes, un être humain normal développe imperceptiblement une angoisse sourde mais d'autant plus perverse qu'elle est distillée pendant de si longues heures.

De plus, le sentiment de solitude humaine qui entoure l'acte de regarder la télévision concentre davantage l'anxiété flottante. Conversation morte, relations interpersonnelles végétatives, le point zéro de la communication humaine : passivité et solitude imprègnent le monde télévisuel, d'où une insatisfaction permanente et un sentiment profond d'inassouvi que l'on tente de soulager et de résorber par le moyen le plus immédiat, soit consommer encore plus de télévision.

La télévision calme les anxiétés de la télévision comme le gâteau calme les remords coupables de l'obèse...

La tête dans le sable

Tous les spécialistes ès drogues ont noté cette caractéristique centrale de la soumission à une drogue : le refus de la reconnaître et d'admettre que la relation avec le produit est devenue un esclavage. La drogue crée autour d'elle un halo qui dissimule sa propre nature (et qui souligne le caractère sournois de sa domination). Personne ne s'y adonnerait autrement. Le tissu de justifications cousues de fil blanc dont s'entourent les adeptes d'une drogue est bien connu des responsables de cures de désintoxication.

La première étape du processus curatif consiste justement à rendre l'individu conscient de sa situation de dépendance à la drogue, à voir comment elle le domine et quels en sont les effets tangibles sur sa vie ou son entourage. Cela est particulièrement vrai dans les cas de drogues admises socialement comme l'alcool, le tabac et... la télévision ! La sujétion à la télévision suit ce schéma sans en dévier d'un iota et l'opacité de la dépendance en constitue le ressort essentiel.

La drogue télévision est un cas parmi d'autres nombreux phénomènes de refus de voir les choses telles qu'elles sont. Quel individu vivant douloureusement sa solitude penserait à en accuser les 30 heures de télévision dont il se nourrit chaque semaine ? Quel cardiaque ou quel obèse penserait à s'en prendre à son appareil récepteur ? De tous ceux qui cherchent à s'épanouir et à réussir dans le domaine qui leur tient à cœur, mais qui ont le sentiment de tourner en rond et de piétiner, lesquels oseraient en accuser leur relation de dépendance à l'activité télévisuelle qui bouffe leur temps et leurs meilleures heures de création ? Personne ! On préfère chercher d'autres coupables, qui ne nous renvoient pas à nous-mêmes.

Toujours plus de place

Par son caractère faussement anodin, par cet « air de rien » qui lui a permis de devenir, en Occident, la principale activité humaine après le sommeil et le travail, la télévision s'est taillé une place prodigieuse dans nos vies et, mieux, une place dont l'ampleur n'est jamais vraiment mesurée ou visible. Aussi n'existe-t-il aucune approche psychosociologique à l'égard des adeptes forcenés de la drogue télévision, ni indications de traitement.

Au contraire, on pousse officiellement à la consommation de plus en plus totalitaire de la télévision. Le système ne semble pas encore satisfait de l'ampleur de son règne quasi absolu. Il rêve de grignoter encore les rares heures où l'esprit humain se déconnecte du petit écran. L'expansion de la télévision intervient dans une absence complète de contrôle public sur la consommation. Les notions de prévention ou de retenue personnelle sont inexistantes. Contrairement à l'alcool, au tabac, aux amphétamines ou à la cocaïne, cette liberté sauvage permet de pousser un peu plus loin tous les effets pervers constatés.

Être drogué demeure une question de dosage. Prendre un verre de vin par jour constitue un phénomène différent du comportement de l'alcoolique invétéré qui se verse sa bouteille de scotch quotidienne. Il en va de même pour toutes les drogues, de la cigarette aux somnifères en passant par la télévision. Regarder trois ou quatre heures de télévision par semaine ne manipule évidemment pas un individu comme le fait de s'y noyer 30 heures chaque semaine. L'intensité de la dose, c'est-à-dire, dans le cas présent, sa durée de consommation, fait varier de façon foncièrement différente la relation psychosomatique avec le narcotique.

La télévision régression

Notre relation intense avec un récepteur de télévision allumé nous isole de l'instant présent pour nous transporter dans un autre monde : non pas celui du faux dépaysement suggéré par le contenu des émissions, qui demeure superficiel, mais celui du royaume imaginaire de notre passé, ce que les psychologues nomment un recul vers un stade antérieur de notre développement, une régression vers une enfance mythique, à la fois fuite devant la réalité et retour gratifiant à un âge d'or. Comme le dit la chanson, « En ce temps-là, la vie était plus belle/Et le soleil plus brillant qu'aujourd'hui ».

Il apparaît que toute drogue produit une telle régression vers des stades dépassés de la personnalité. L'effet « télévision » nous ramène ainsi au sein maternel, dans un univers chaud et calfeutré. Selon le terme de Jacques Lacan, cette nostalgie de l'âge d'or personnel se caractérise par « l'unicité » de la relation avec la mère qui occupe en entier le monde de l'enfant. Rien d'autre n'existe — ni menaces, ni étrangers.

Par la suite, dans un deuxième stade de notre évolution, un effet de miroir se distingue progressivement. Malgré son « insoutenable légèreté », l'enfant prend conscience de lui-même comme d'un être différent de sa mère. Le miroir brise l'unicité, et les années futures ne laisseront quasiment rien de ce sentiment diffus d'avoir vécu au paradis du dorlotement maternel, sinon cette nostalgie fondamentale envers l'âge d'or révolu, « le bon vieux temps » dont on gardera toute sa vie le goût de retrouver la chaleur. Jacques Godbout parlait du « petit écran dans chaque maison comme une mamelle tendue[7] ».

À l'évidence, le succès de la télévision recouvre une de ces fuites vers le « paradis perdu » de notre passé personnel. Le petit écran enveloppe l'esprit et n'exige rien d'autre que de s'y laisser absorber et de s'y fondre. Il n'est surtout pas un miroir qui nous renverrait l'image dynamique de notre vie, car la passivité foncière du téléspectateur interdit un tel échange.

Il est remarquable qu'en situation de faiblesse, par exemple lors d'une dépression ou d'une maladie, on se réfugie encore plus dans la sécurité télévisuelle. Vulnérable aux agressions du monde extérieur, l'individu se love dans les méandres doucereux de l'univers télévisuel, dans une tentative inconsciente de remonter le courant du temps et de rejoindre un passé tout aussi doucereux, tentative bien sûr vouée à l'échec et à la frustration.

Avachi, amolli, écrasé

Culte du cliché, apaisement par la drogue, régression mentale... Sous l'angle du jugement de valeur, de telles caractéristiques recouvrent un point commun : elles dénotent une apathie lourde.

Quelquefois, on se doit de ressortir certains mots des répertoires démodés. La « paresse », par exemple. Décrire l'accoutumance à la télévision sans y accoler ce qualificatif tronquerait la réalité. En effet, au premier coup d'œil, « regarder la télévision » se présente comme une activité ordinaire, à l'instar d'autres activités, comme la promenade, le bricolage, le cinéma ou la danse. Mais que voilà une bonne conscience facile ! Car si l'on s'y arrête deux secondes, « l'activité télévisuelle » est d'abord une forme socialisée et admise de la paresse la plus crasse.

Le *Petit Robert* nous apprend que la paresse est « le comportement de celui qui évite l'effort ». Pas si mauvaise définition de la télévision qui, des dizaines d'heures par semaine, nous pousse sur les sentiers mollasses de l'apathie et de la fainéantise. S'écraser sans bouger dans son salon en pratiquant une activité mentale proche de zéro et une activité physique proche de celle de l'ours en hibernation, voilà le royaume commun de la télévision et de la paresse. De ce fait, la télévision est la forme moderne de la paresse millénaire.

Le plus étonnant demeure cette complicité populaire, qui feint de ne pas voir l'apathie épaisse découlant de 20 ou 30 heures d'immobilité hebdomadaire devant la télévision. Si je dis à mes amis que, la veille, j'ai passé quatre heures sur une chaise sans bouger ni lever le petit doigt, on me traitera de fainéant. Si je leur annonce que j'ai regardé les deux longs métrages de la soirée, pas de problème : je n'ai pas davantage bougé, mais je suis socialement protégé. Ma paresse est excusée, et nous pourrons discuter tous en chœur de l'intrigue des films !

Puisque la morale découle, dit-on, des comportements, les humains excellent à justifier absolument n'importe quoi. Regarder la télévision, voilà un bel exemple d'une occupation molle et fainéante qui, pour la galerie, passe pour une « activité comme une autre ». On peut discuter respectueusement des émissions entre amis et même dans les chroniques spécialisées des journaux.

Concédons que la paresse est affaire de degrés et faisons la part des choses entre repos mérité et avachissement. Puisque notre relation à la télévision se module d'abord sur l'air du laisser-aller physique et mental, il est normal qu'on y recherche le repos et la vie végétative. Après une dure journée de travail, une heure de télévision équivaut à une sieste qui peut être bienvenue et agréable.

Le problème surgit lorsque la langueur télévisuelle s'étale sur des dizaines d'heures chaque semaine et que le petit écran devient une machine à paralyser le corps et l'esprit. Comment n'en sentirait-on pas les effets pendant toute la journée, effets démotivants, diluant le goût de l'effort ? Et, en réponse, la télévision nous offre toujours sa facilité sournoise, celle de tourner le bouton et de ramper jusqu'à un fauteuil...

CHAPITRE VI
La télévision qui se mange

Pourquoi tu ne regardes pas la télévision au lieu de faire du bruit?

Une mère à son enfant de cinq ans

QUAND IL S'AGIT de la télévision, les analogies et les parallèles avec le domaine alimentaire surgissent naturellement à l'esprit. Nous avons parlé de bonbons, de pizzas, de sucre et de boulimie alimentaire parce que les mécanismes d'apaisement de la fringale sont identiques: même dégustation gratifiante sur l'instant, suivie des mêmes effets pervers et invisibles à moyen terme.

Dans cette optique, d'autres conséquences néfastes s'apparentent, elles aussi, à celles des déviations alimentaires. Par exemple, la télévision se « consomme », cela va de soi — assis, sinon écrasé ou carrément couché, toutes postures qui s'accordent à la passivité de l'activité télévisuelle et au fait que le corps est mis au ralenti pour que l'esprit puisse se plonger avec oubli dans le spectacle lumineux.

Conséquence immédiate sur la forme physique: jamais les habitants de nos villes ne furent en si mauvaise condition physique; l'embonpoint n'est que le renflement le plus visible de l'iceberg. Selon Statistique Canada[1], 14 % de la population adulte du Québec souffre d'un excès de poids marqué (obésité) et un tiers présente un poids excessif: ce problème concerne donc au total une personne sur deux. Aux États-Unis, la proportion de gens carrément obèses est évaluée à 31 % de la population[2].

La dégradation de nos muscles et de notre structure osseuse a curieusement coïncidé avec l'épanouissement de la vie végétative, liée aux longues heures d'avachissement devant la télévision. La relation est flagrante : la télévision s'attaque au dynamisme vital de notre corps en lui imposant, pendant un millier d'heures par année, un affaiblissement biologique incompatible avec une bonne santé. Puisqu'elle a remplacé des activités qui, en partie, demandaient une dépense d'énergie physique, personne ne peut nier le lien entre la « consommation » de télévision et le piètre état de nos organismes.

Cette constatation se prolonge dans des effets proprement alimentaires de la fréquentation télévisuelle. La station assise prolongée agit négativement, cela va de soi, sur une digestion normale et, en constatant la paresse intestinale ou les désordres gastriques de leurs patients, les médecins déplorent cette montée de problèmes que guériraient souvent de simples promenades digestives, comme on le faisait couramment avant l'ère télévisuelle.

De plus, rester immobile pendant plusieurs heures devant le petit écran favorise l'ingestion de certains aliments au détriment d'autres. Les télévores adaptent leur menu à leur passivité corporelle ; les aliments préparés à l'avance, qui tiennent facilement dans la main ou dans une petite assiette, prennent le pas sur des plats plus complexes mais généralement plus sains. C'est le règne des mets à base de sel, de sucre, de féculents, dont l'abondance déséquilibre l'organisme le mieux aguerri. On le sait d'expérience, la télévision suscite davantage le goût des croustilles, du chocolat, de la pizza, des boissons gazeuses et de la bière, que celui de salades ou de poisson frais !

L'état de facilité qui suinte de l'abandon psychosomatique devant le spectacle télévisuel porte les adeptes à ingurgiter des aliments aussi faciles à ingérer que les émissions elles-mêmes. On imagine mal un repas de haute cuisine dégusté devant l'écran de télévision qui, à la limite, « volerait » le goût succulent des aliments, sachant que la concentration sur le téléspectacle diminue d'autant celle qu'on accorde aux saveurs.

En organisant son temps, il faut choisir entre bien manger et regarder la télévision. L'observation démontre que l'attrait de la télévision prédomine sur la jouissance alimentaire, d'autant plus que les émissions à haute cote d'écoute sont souvent programmées aux heures de repas, surtout celui du soir. Résultat : la télévision devient une concurrente non seulement de la gastronomie — ce qui serait un moindre mal —, mais aussi d'une saine hygiène alimentaire. Dans la pratique quotidienne, elle traîne dans son sillage naturel une catégorie d'aliments qui ont des effets nuisibles s'ils sont absorbés en grande quantité.

Habiles furent les inventeurs des *TV Dinners* qui, dans la réalité comme dans l'étiquette, visèrent parfaitement les besoins de leur clientèle. De fins palais dénoncent ces plats sans goût et quasi prémâchés, alors qu'il faut plutôt dénoncer le système de consommation qui les a fait naître: les longues heures du culte télévisuel qui obligent à la bouffe grignoteuse et féculente. N'en voulons pas à notre volonté d'y succomber régulièrement, ni à notre corps de demander une compensation en sel et sucre. On l'oblige à demeurer immobile si longtemps que le métabolisme tourne à vide, de façon proprement anormale, incapable de brûler ses graisses et de digérer efficacement, coincé dans un fauteuil comme sur un lit d'hôpital.

De ce point de vue, la consommation excessive de télévision, devenue la règle chez nous, constitue une formidable perversion biologique.

Chapitre VII

La solitude du téléspectateur de fond

En fait, le zappeur est toujours à l'affût d'un programme captivant, sans pour autant s'en donner les moyens : il veut être « branché » instantanément. Les émissions l'ennuient, mais il ne peut s'arracher de l'écran. Il y a quelque chose de tragique dans la condition du zappeur, le tragique du désir téléphile incapable de s'accomplir véritablement.

G. Lipovetsky [1]

Parmi les idées reçues de notre temps, celle de la solitude de l'individu revient sans cesse. Étrangers à la ville effervescente qui nous entoure, nous flottons dans un tissu de relations humaines éphémères, vite nouées et vite rompues. Pour la plupart d'entre nous, les liens de famille subsistent davantage comme remords périodiques que comme ancrages fondamentaux dans l'existence — ce qu'ils étaient autrefois.

La famille proche — père, mère, conjoint, enfant, frère, sœur — est devenue un noyau élastique qui se compresse, se dilate et se disloque par mutations périodiques et souvent brutales. Bien sûr, on se visite et on maintient le contact. Mais songeons qu'il y a un siècle, la vie de famille structurait entièrement le cadre de l'existence et accompagnait un individu de sa naissance à sa mort.

Par ailleurs, l'affaissement des liens familiaux a donné naissance à une nouvelle liberté personnelle. Havres sécurisants ou prisons dorées, les familles, les tribus et les clans bornent l'individu en l'enfermant dans un univers réglé par les ancêtres, les mâles et les aînés. « Familles, foyers clos, je vous hais ! », lançait André Gide en guise d'anathème à ces lieux de haute chaleur humaine encerclés de tabous et d'interdictions.

La solitude métaphysique de l'homme contemporain est le résultat de la dislocation de ces liens familiaux et tribaux, qui s'évaporent dans le tourbillon urbain moderne. Le milieu de travail ou celui des amis compense en partie la perte de l'intensité des relations humaines autrefois engendrées par la famille au sens large. Mais la forte compétition entre « collègues » de travail, les déplacements incessants de personnel, la hiérarchie des organisations qui nous emploient, tout cela concourt à ériger nos lieux de travail en enclos dont on a bien hâte de s'extirper le soir pour retrouver une vie autonome et personnelle. Rares et bienheureux sont ceux et celles trouvant dans leur travail une qualité de relations humaines qui remplit leurs aspirations de communiquer, d'être reconnus et appréciés, et qui se sentent valorisés dans leurs choix personnels.

De fait, dans notre monde contemporain, ce sont surtout les noyaux d'amitié et d'amour — hors famille et hors travail — qui procurent une chaleur humaine capable de rendre notre vie agréable. Ainsi, la plupart des activités de loisir visent à créer des atmosphères conviviales et à générer des échanges intenses et gratifiants : les sports, les voyages, les concerts, les clubs, la danse et même le magasinage ont d'abord pour but d'activer les échanges entre les individus, et sont prétextes à se sentir dans un groupe, à vibrer avec ses pareils. En somme, il s'agit de sortir de sa carapace épaisse d'individu muré dans ses angoisses et de se débarrasser de son incapacité foncière à communiquer profondément avec ses congénères, au-delà de l'illusion d'y parvenir.

Sans clan, sans tribu et sans famille étendue, l'individu d'aujourd'hui déploie une activité fébrile pour communiquer avec ses semblables, poussé qu'il est par une solitude qui pointe le bout de son nez à tous les moments creux de la vie. Comme un vent froid du nord, la solitude fondamentale de l'être humain — inexorablement seul au monde, face à la mort et au jugement des autres — s'immisce par chaque fente de notre existence pour nous glacer le cœur.

Dans le roman *La condition humaine* d'André Malraux, un personnage vit avec intensité une expérience étonnante et que nous avons tous connue : la première fois que l'on entend un enregistrement de sa propre voix. « Voyons, ce n'est pas ma voix ! » s'exclame-t-on pendant que les amis nous assurent que cette voix sur la bande magnétique est bien la nôtre, celle qu'ils entendent depuis des années. Le phénomène s'explique de façon simple : nous nous entendons principalement par une résonance interne à la structure de la tête, qui n'utilise pas le canal des oreilles. La gorge résonne directement aux tympans, dont elle n'est séparée que de quelques centimètres. Cela suffit à nous faire percevoir un son différent du son original de nos cordes vocales. L'instrument central de la communication humaine, la parole, n'a donc pas la même résonance pour les autres que pour soi. On ne s'entend pas parler sur le même registre de voix que les autres nous entendent. N'est-ce pas le signe accusateur de la solitude foncière des humains, dénonçant l'illusion que nous avons de partager une même longueur d'ondes ?

Entre les êtres humains, les signes s'échangent, bien sûr, mais sur le mode de la distorsion, de la confusion et du quiproquo. L'envers vécu de cette communication parasite s'appelle justement la solitude, maladie éternelle de notre espèce, accentuée à notre époque par les structures sociales atomisées et en mutation si rapide que l'on ne peut s'y adapter. Pourtant, notre vie moderne est paradoxalement encombrée d'un grand nombre d'objets qui servent de « produits de distanciation » entre l'individu et son environnement, selon l'expression de Gérard Mermet[2]. Ainsi le téléphone, la radio et l'ordinateur permettent à leurs utilisateurs de s'isoler de leurs semblables tout en remplissant des fonctions de communication minimale.

La présence forte et engageante d'une personne réelle est évacuée par un canal étroit de communication. Au lieu du chanteur en chair et en os, on se contente de sa voix ou de son image réduite et artificielle, éliminant ainsi l'humanité profonde du contact (par exemple, l'énergie de l'interprétation ou l'expression des gestes). Nous cultivons ainsi des gadgets qui nous séparent au moins autant de notre entourage qu'ils ne nous y raccordent (bien que les objets soient présentés uniquement comme de merveilleux outils pour relier les êtres humains entre eux). Évidemment, avec le courriel, la télévision est la championne toutes catégories de tels « produits de distanciation ».

Flamboyante, elle se donne des allures de panacée miraculeuse contre le virus de la solitude individuelle. Combien de gens seuls allument leur téléviseur en poussant le son à tue-tête, sans même le regarder ! Même s'ils s'adonnent à d'autres activités, les images et les sons de la télévision accompagnent alors leur solitude et meublent les pièces désertes ; ils remplissent la tristesse des intérieurs domestiques inhabités.

Par son effet de massage sur le cerveau, le spectacle télévisuel accroche l'esprit et l'anesthésie pour lui faire oublier le temps. Il dope ainsi les instants creux. Devant le téléviseur, la succession des heures perd de son acuité. Les minutes coulent presque en dehors de la conscience. La solitude étant un sentiment relié essentiellement au temps — cinq minutes de solitude ne rendent pas solitaire —, la télévision dissipe effectivement cette solitude. Comme le font le haschisch ou la cocaïne, elle dilue la perception du temps intérieur.

Que la télévision fascine notre esprit au point que nous en oublions notre solitude ontologique, voilà qui, de prime abord, devrait apparaître comme un bienfait pour l'humanité. Un des maux les plus cruels de notre temps, créé par la dislocation d'entourages sociaux stables et rassurants, trouverait ainsi un remède facile et efficace. Parmi le faisceau complexe de facteurs qui tissent la vie de nos sociétés, il faudrait célébrer la télévision pour son effet thérapeutique sur la solitude des pauvres humains, coincés dans leur HLM ou leur pavillon de banlieue.

Pourtant, que la télévision soit cette « bouée de sauvetage » miraculeuse pour les pauvres esseulés que nous sommes tous, à des degrés divers, cela constitue une perception fausse et même inversée de la réalité. Ici, les apparences intervertissent la cause et l'effet.

Admettons que les images et les sons de la « boîte magique » dissolvent vraiment l'épaisseur du vide intérieur lié à l'esseulement. Cette perception première et subjective reste en deçà de la réalité et ignore des facettes de la question autrement plus déterminantes et objectives. En effet, notre relation à la télévision et sa place dans notre vie sont justement parmi les principaux facteurs qui provoquent et entretiennent la solitude de l'homme moderne. Ce qu'on prend pour un remède agréable à avaler est au contraire une cause majeure du sentiment de solitude. Objectivement, l'usage de la télévision nous isole des autres et nous referme sur nous-mêmes... bien que cet usage soit subjectivement vécu comme un calmant de ce même drame d'incommunicabilité. Doux paradoxe !

Ce phénomène de non-communication préside aux effets de toutes les drogues qui créent une accoutumance : le drogué replonge dans ses pilules et ses seringues pour calmer une angoisse qui provient de son sentiment de dépendance aux drogues. Cercle vicieux où le remède est le mal, dans une spirale impossible à freiner autrement qu'en s'extirpant de la confrontation angoisse-drogue, qui se nourrissent l'une de l'autre.

Le disjoncteur social

Faire de la télévision une occupation majeure de sa vie crée, de façon quasi mécanique, une coupure avec son entourage. Rien n'est plus solitaire que la relation d'un individu à son téléviseur, ce regard tendu vers l'image, cette attention soutenue au spectacle du petit écran, à quoi s'ajoute un effet hypnotique schizophrénique, tous facteurs qui érigent cette relation en tête-à-tête fermé et clos. Un tiers ne peut revendiquer aucune place dans un esprit captivé par la télévision.

Il est instructif de s'attarder au spectacle que donnent quelques personnes assises au salon, communiant avec l'écran dans un silence religieux... à peine rompu par des exclamations intermittentes ou des commentaires brefs (qui, loin de briser les liens de chacun avec le téléspectacle, les renforcent comme une approbation collective du phénomène vécu). Rien ne peut ébranler le processus en cours: un centre focalise toute l'attention mentale du groupe, au point que ses membres ne réagissent plus en fonction de ce groupe, mais du dieu qui absorbe l'énergie mentale de chacun. Le groupe dynamique se mue en un amas d'individus inertes.

En ce sens précis, qu'on soit en couple ou en groupe, dès qu'on tourne le bouton du récepteur de télé, chacun se réfugie dans sa solitude profonde. Du coup, nulle interaction entre les individus ne peut vraiment se développer, car l'immersion dans le spectacle impérialiste captive toute l'attention et l'énergie sociale. Le temps accordé à la télévision est du temps volé à la communication; ouvrir un téléviseur, c'est mettre en marche un véritable disjoncteur des relations interpersonnelles. S'adonner à l'excès à la télévision enferme l'individu dans une cabine mentale où ne pénètrent que la voix et l'image du Maître. La présence des autres est annihilée. Ils flottent dans la pièce sans vraiment accrocher son attention et sans déclencher d'alchimie sociale.

Un tel effet de ghetto pourrait n'avoir aucune incidence majeure si on ne consacrait qu'une poignée d'heures par semaine à la télévision. Mais c'est tout le contraire qui se produit. Chaque semaine, nous nous plongeons durant 30 heures dans une « activité » qui nous isole de nos amis, de notre famille, et qui laisse en suspens le dialogue des couples. Sitôt le téléviseur fermé, on se plaint de la solitude de l'homme contemporain... et l'on pense avec nostalgie aux amis et aux parents qu'on ne voit plus !

La télévision dévore les relations humaines et n'en laisse qu'un goût amer de nostalgie. Comme certains poisons, elle exerce ses effets de façon tellement insidieuse qu'elle réussit l'exploit de se présenter comme une consolation au mal qu'elle cause. « Je suis là ! », murmure sans cesse l'appareil tentateur. « Tourne le bouton et ta solitude s'évanouira ! »

La télé contre le café de la place

Une vérification expérimentale du phénomène peut s'effectuer en examinant les manières de vivre de peuples qui n'ont pas encore tout sacrifié à la télévision (mais cela viendra sans doute). Dans certaines sociétés méditerranéennes, par exemple, le visiteur découvre une vie sociale intense qui s'exprime dans les rues, les cafés ou les conversations animées des boutiques. S'il pénètre un peu dans les familles, l'intensité et la fréquence des contacts entre les individus achèveront de l'étonner. Malgré certaines difficultés matérielles, il y découvrira souvent une joie de vivre ensemble qui rend exotique notre fameuse solitude métaphysique.

La télévision n'y pas encore exercé ses effets de segmentation des individus en îlots solitaires et coupés du groupe. Quand elle est présente, on la regarde en groupe, quelques heures par semaine, sans qu'elle impose sa loi, son silence et sa dictature à toute l'organisation de la vie quotidienne.

Dans ces sociétés plus traditionnelles, la télévision n'a pas encore annihilé les sports d'équipe et les jeux de société, comme le soccer, les cartes, les dominos, la pétanque ou le jacquet, qui accaparent les temps libres et les structurent bien autrement. En soirée, les longs bavardages des groupes au café de la place expriment une manière de vivre pratiquement disparue dans nos contrées télévisuelles.

Dans les prochaines décennies, il est probable que l'apathie télévisuelle fera son œuvre là aussi, videra le café de la place de ses joueurs de cartes et nettoiera les rues de ses bavardages et de ses badauds. La conformité télévisuelle régnera... « Et l'ennui naquit un jour de l'uniformité. »

La fête

Les ethnologues qui observent le spectacle des fêtes interminables que les sociétés traditionnelles se donnent à elles-mêmes, sont toujours estomaqués du vide de notre propre société à cet égard. Dans nos sociétés modernes, il faut recourir aux gravures des musées et aux souvenirs des Anciens pour reconstituer l'ampleur et la profondeur des fêtes que chaque occasion de l'année religieuse ou agricole permettait de célébrer. Le temps des Fêtes, si bien nommé, culminait en intensité et en longueur. Danses, festins, visites, beuveries, jeux d'intérieur, tout servait à créer ce climat bien particulier de la grande fête conviviale, là où chacun lâchait la bride à la détente, au plaisir de se sentir entre amis et d'inverser l'univers du travail par un farniente de bon aloi. Moments hors de l'ordinaire, joyeux et magiques, dont plus tard on se souvient avec émotion, la fête prend figure de douce folie qui survole la vie ordinaire et morne.

Aujourd'hui, on affirme communément que « nous avons perdu le sens de la fête » et que nous ne savons plus créer les conditions mystérieuses qui déclenchent l'esprit de fête. La recette de la Grande Fête s'est perdue en cours de route...

L'esprit de fête est toujours lié à la musique et à la chanson, car fêter signifie d'abord chanter, danser ou tambouriner. Activité créatrice et libératrice où l'individu s'implique à fond, la musique affirme une liberté radicale sur le mode de la fantaisie, de l'exaltation et de la communion avec les sons.

De fait, la communication intensive avec les « autres » est le seul objet véritable de la fête, dans un climat enrichi par la musique, qui plonge les participants dans des sensations communes, brisant ainsi les mots et les attitudes codés. La transe rythmée des tam-tams de Bahia ou le pop-rock-techno des discothèques chasse tous les cafards et toutes les solitudes. La musique abolit les différences d'âge, de milieu ou de statut pour fondre tout un peuple dans son creuset.

De nos jours, la fête perdue laisse pourtant des cicatrices profondes. On réalise qu'elle est — ou était — un ingrédient essentiel au fonctionnement harmonieux d'une société. Les tensions s'y relâchent, les individus communiquent sur un registre différent de celui du monde du travail hiérarchique, les rôles de chacun perdent leurs contours trop tranchés, les interdits sont transgressés comme pour affirmer une liberté fondamentale. La fête combat la morosité, et son exaltation assure l'équilibre mental d'une société, l'hygiène mentale des individus. Les anciens carnavals ordonnaient une anarchie nécessaire qu'on dissimulait pudiquement sous les masques et les déguisements.

Il nous en reste la nostalgie, les costumes, les chansons et les musiques, quelques reconstitutions de cinéastes, mais peu des forces dynamiques qui menaient tout un groupe social à la fête organique. De nos jours, au mieux, nous réussissons à bricoler de petites fêtes locales et limitées, pâles imitations du passé. Pourquoi ne savons-nous plus fêter ? Pourquoi nous privons-nous de ce moyen si simple de lutter contre certains déséquilibres mentaux ou certains stress, dont les suites peuvent être dramatiques pour les individus et la société ?

L'éteignoir télévision

Notre organisation sociale et notre structure de la famille et du travail sont les responsables immédiats de ce glissement déplorable. Mais, dans un deuxième temps, on constate que le rôle de la télévision en démultiplie les effets. Jour après jour, la télévision contribue à tuer les activités de groupe et à cultiver une passivité qui contamine les heures entre le sommeil et le boulot. De par sa nature, la relation de l'individu à son téléviseur élimine la communication humaine. Comment alors s'étonner de ce que le petit écran sape « l'esprit de fête » ?

Fêter, c'est le contraire de regarder la télévision. Lorsqu'on invite quelques amis chez soi, n'espère-t-on pas secrètement que « l'esprit de fête » se distille dans le groupe pour déclencher une soirée merveilleuse et inoubliable ? On connaît des hôtes vigilants qui, avant de recevoir leurs invités, roulent le téléviseur dans un placard. Confusément, ils devinent que cet objet peut tuer net la fête. Il suffit qu'un invité inconscient tourne le bouton du récepteur (« On va juste regarder la fin de la partie ! ») pour dissoudre la fête sur-le-champ. À l'inverse, la fête esquissée suscitera aussitôt la musique, les chansons en chœur, la danse, les blagues, l'entrain, le grain de folie...

Qu'on y réfléchisse cinq secondes : bien qu'on y consacre le quart de notre vie active, pas un seul des grands moments de notre existence, ceux dont on se souvient, n'est lié au fait de regarder la télévision, et encore moins de le faire entre amis !

De ce point de vue, retrouver le sens de la fête et ses effervescences créatrices et libératrices, cela veut d'abord dire : mater la télévision, dompter sa propension insatiable à cannibaliser les activités humaines et à s'en nourrir pour les vider de leur sève la plus vivifiante.

Le couple au hachoir de la télévision

Cet effet de stérilisation de la communication s'observe non seulement dans les activités de groupe mais plus quotidiennement dans la vie ordinaire des couples et des familles. Maintes fois, on a vérifié que la télévision vide le dialogue nécessaire au développement d'un couple, en s'arrogeant le temps qui devrait être consacré aux échanges. Coincés entre le travail, le sommeil et la sacro-sainte télévision, partout les couples s'effritent et se disloquent. Les statistiques récentes accordent cinq ans de survie en moyenne à un couple moderne, soit la moitié de la durée de vie du téléviseur qui aura probablement précipité son éclatement !

Les journées ne comptent que 24 heures et la place de la télévision repousse d'autant la place des relations sentimentales. Dans cette concurrence féroce entre la télévision et les relations sentimentales, il n'y a qu'un seul gagnant… et toujours au détriment de notre qualité de vie. Un tel effet pervers et dissolvant ne provient pas du contenu du petit écran (même si les couples des téléromans passent par toutes les transes !), mais vient directement du temps prodigieux accordé à cette « non-activité » silencieuse et envahissante.

La famille crucifiée par son téléviseur

Ce qui se vérifie chez le couple est *a fortiori* valable pour la famille. La désintégration de la famille contemporaine est un phénomène trop complexe pour qu'on ose affirmer que la télévision en est la cause première. Constatons simplement que la consommation massive de télévision et la dislocation des familles sont apparues à peu près au même moment en Occident, et nous pouvons en déduire qu'elles participent d'une même conjoncture sociale.

Plus intéressante que les liens de causalité est la question de savoir comment la télévision s'insère dans le tissu de la vie familiale. En effet, les temps dits libres d'une soirée sont à peu près les seuls disponibles autant pour les activités familiales que pour le temps de télé, d'où un affrontement certain, à moitié résolu par le compromis et la conciliation forcée : on regardera la télévision, mais en famille.

À l'évidence, la télévision est la première des activités familiales. Cela laisse entendre que la télévision serait une joyeuse activité collective à laquelle se livrent en chœur parents et enfants, un peu comme le camping en famille ! Mais la réalité est tout autre :

- Certaines enquêtes démontrent que le choix des émissions à regarder est la première source de conflit interne au sein d'une famille[3];
- Cette occupation n'est familiale qu'en apparence et parce que, souvent, on dispose d'un seul téléviseur installé dans la pièce principale. Mais avec l'élévation du niveau de vie et l'abaissement du prix des appareils, de plus en plus d'enfants regardent leurs émissions devant leur propre récepteur et dans une pièce à l'écart de leurs parents. Ainsi 33 % des enfants américains ont la télé dans leur chambre[4]. Voilà vers où se dirige la plus « familiale » des activités. Par ailleurs, les différences d'âges tendront de plus en plus à fragmenter les auditoires familiaux, dans un mouvement du style « À chacun son programme, chacun pour soi devant son téléviseur ! » ;
- La croissance constante des taux de divorce, des séparations de fait ou des fugues d'adolescents suffit à démontrer que la télévision éloigne davantage les membres d'une famille qu'elle ne les rapproche. Dans le cas contraire, l'implantation triomphante du petit écran aurait stabilisé ce genre de phénomènes ;
- La télévision impose son rythme à la famille. Plusieurs enquêtes ont démontré comment les heures des repas ou du coucher des enfants sont déterminées par la soumission au pouvoir impérial de la télévision[5]. La dynamique du groupe familial est balayée au profit du rythme télévisuel ;
- Une enquête japonaise découvre même que les commentaires sur les émissions de télévision constituent le deuxième sujet d'importance dans les conversations familiales (à 54 %, après une rubrique fourre-tout nommée « les soucis quotidiens »)[6] ;
- Dans la majorité des familles en état de grâce télévisuelle, la conversation est interdite. Le moindre commentaire ne doit pas excéder trois mots et doit se faufiler durant un temps mort. Voilà ce qu'on encense sous le nom d'activité familiale par excellence !

Somme toute, la télévision envahit la vie familiale jusqu'à la façonner à son image. Une famille d'aujourd'hui est d'abord un groupe de personnes qui regardent la télévision ensemble. Ou plus précisément qui se taisent ensemble devant le téléviseur... trônant au milieu du logement comme autrefois trônait le foyer, suscitant la conversation et la confidence.

Se rassembler devant un téléviseur crée un amas de gens, sans plus, tandis que la famille est avant tout une présence mentale, un état d'esprit avec ses dimensions conscientes et inconscientes.

La multiplication des téléviseurs dans la maison, jointe à la multiplication croissante du choix entre différentes émissions, achèvera bientôt de fragmenter ceux et celles qui partagent un même toit en une multitude d'atomes asociaux branchés sur leur téléviseur respectif. La seule famille réelle, bien qu'éphémère, qui subsistera, sera constituée des personnes qui, à un moment donné, regarderont la même émission. Les cyniques la nommeront : famille « téléconjoncturelle ».

La télévision nourrice

Le cas des jeunes enfants est particulièrement navrant. Pour s'assurer le calme et le silence, les parents prennent l'habitude d'installer leurs bambins devant la télévision à toute heure du matin et de l'après-midi. À la limite de l'écœurement, on les gave de dessins animés et d'émissions spécialisées pour s'acheter la tranquillité et se reposer ou s'adonner à des activités indépendantes de la marmaille.

On estime que le tiers des petits Américains de six mois à six ans vivent dans un environnement totalement dominé par la télévision, souvent allumée en permanence devant eux. D'après une enquête du pédiatre Henry Shapiro[7], dans ces foyers, seulement 34 % des enfants savent lire, contre 56 % dans les foyers à faible consommation de télévision. Les *Goldorak, Passe-Partout* et autres *Caillou* sont ainsi devenus les nourrices et les gardiennes officielles de milliers de jeunes enfants. Pourquoi davantage de garderies, puisque la télévision apparaît comme la nounou universelle ?

Sans y regarder de près, on se persuade que ces émissions possèdent un caractère « pédagogique » merveilleux... une étiquette fourre-tout. Voilà donc que ces bribes pédagogiques seraient de valeur telle que les autres activités enfantines deviendraient misérables et inférieures. En fait, la télévision libère tellement les parents que ces derniers, reconnaissants, s'empressent de qualifier de « pédagogiques » et d'« instructifs » des flots d'émissions qui, trop souvent, oscillent entre l'insignifiance, la débilité, entre le gnangnan et la violence brute. Finis le sens de l'initiative, du bricolage enfantin, des jeux de groupe ou le déchiffrement des premiers albums illustrés ! La télévision exerce sa toute-puissance anesthésique sur les plus jeunes des enfants, avec la complicité lâche des parents. Ainsi, l'habitude du visionnage intensif de la télévision s'acquiert au plus bas âge par une incitation irrésistible des parents, ce qui induira chez les enfants des comportements indélébiles.

À ce propos, des études ont fait ressortir que l'ardeur avec laquelle les parents installent leur progéniture devant le téléviseur recèle des motivations troubles. Implicitement, pères et mères désirent couper l'enfant du monde extérieur et l'empêcher de développer des liens avec des étrangers, de façon à le garder le plus longtemps possible sous leur coupe. Nouvelle expression de la surprotection parentale, on ne garde plus l'enfant « sous les jupes de sa mère », mais on l'assoit le plus longtemps possible devant la télévision. Pourtant, comme l'écrivait le pédiatre Shapiro, « regarder la télé est une activité beaucoup moins profitable pour l'enfant que de s'amuser avec des jouets, se faire lire une histoire ou parler avec ses parents [8] ». Deux auteurs estiment qu'« aujourd'hui, beaucoup d'enfants perdent le contrôle de leurs jeux. Les jeux à base d'émissions de télévision les éloignent des jeux qu'ils créeraient naturellement. Leurs propres idées sont perdues lorsqu'ils imitent les histoires qu'ils voient à la télé avec des objets à but unique qui les enferment dans un éventail étroit d'action [9]. »

L'attraction passive de la lucarne télévisuelle est donc utilisée pour étayer un cocon « sanitaire » autour de l'enfant, isolement dont les enfants uniques sont particulièrement victimes. De cette façon, l'emprise parentale se prolonge. Vues sous cet angle, les émissions enfantines sont un boulet qu'on fixe aux pieds des enfants d'aujourd'hui, boulet béni autant par les fabricants de jouets que par les parents qui cherchent à se défiler.

Parce qu'elle se substitue à des activités socialisantes et plus créatrices, la surconsommation de télévision chez les enfants les bâillonne purement et simplement, sur fond de bonne conscience « pédagogique ». Le Conseil supérieur de l'éducation estime que « la détente dont ont besoin les enfants s'accomplirait mieux dans des activités physiques extérieures, après s'être longtemps retenus de bouger trop et de parler trop, que devant le petit écran [10] ».

Un espoir, quand même : il semble bien qu'il y ait une limite physique ou physiologique à l'écoute continue de la télévision. En effet, deux adolescents américains n'ont pu passer plus de 52 heures à la suite devant leur téléviseur (ce qui représente tout de même un record mondial !) [11].

Chapitre VIII
La question importante

Centre pernicieux qui distille solitude, incommunicabilité des couples, mise en quarantaine des enfants et fragmentation des familles, la télévision doit être mise au pied du mur. À son sujet, nous devons poser la seule question importante : nous aide-t-elle à être plus heureux ? En quoi perturbe-t-elle ce sentiment de plénitude humaine qu'on nomme « bonheur », ce contentement auquel nous aspirons tous et qui justifie notre vie ? La place qu'elle occupe dans nos existences devrait nous inciter à ouvrir un débat sur une question aussi fondamentale.

Notre point de départ demeure invariant : espace rayonnant au centre de nos vies, la télévision a repoussé toutes les activités conviviales et « humaines » au point d'en occuper le troisième rang en importance, après le sommeil et le travail. Comment les millions de gens subjugués par la télévision, qui ont moulé leur vie autour de cette activité contemplative, adapté leurs horaires, leur vie de famille et leur vie de couple à l'horaire de la télé, réagissent-ils à sa prise de possession radicale sur leur propre personne ?

Quant il s'agit de connaître les perceptions subjectives de nos contemporains, les sondages et enquêtes demeurent les outils privilégiés pour évaluer la face vécue du phénomène objectif qu'est l'esclavage télévisuel. Parmi le lot de sondages dont nous disposons, j'ai choisi celui que la revue *Le Point* de décembre 1987 a effectué auprès d'un échantillon représentatif de la population française[1]. L'ordre de grandeur des résultats peut sûrement s'appliquer à la plupart des sociétés occidentales et rejoint d'autres enquêtes analogues et plus récentes menées ailleurs.

La question principale de cette enquête est basée sur la technique éprouvée du choix comparatif entre éléments de même nature. Pour répondre à la question : « Quelles activités vous rendent le plus heureux ? », les répondants se voient offrir une longue liste, dans laquelle ils peuvent effectuer plusieurs choix. Il apparaît que :

- 76 % écoutent de la musique ;
- 74 % lisent un livre ;
- 62 % lisent un journal ;
- 46 % écoutent la radio.

Et, en quinzième position, avec 20 % des mentions, ils regardent la télévision...

Étonnant ? Pas vraiment, si on considère que notre relation à la télévision procède à la fois de l'attraction et de la répulsion, comme un envahissement de notre temps à la fois honni et béni.

Insistons d'abord sur l'immense paradoxe : la télévision, activité presque centrale des Occidentaux avec le travail et le sommeil, arrive au quinzième rang des activités génératrices de bonheur ! Puisque cette activité est la seule choisie volontairement, au contraire des deux autres, il faut en conclure que les gens décident, en toute connaissance de cause, de s'adonner 100 heures par mois à une occupation qui les laisse insatisfaits et plutôt malheureux !

Une recherche publiée dans *American Scientist* conclut :

> Si le petit écran représente le hobby le plus apaisant, il est aussi celui qui nous offre le moins de joie. La relaxation est le seul état positif éprouvé par le téléspectateur. Pour le reste, les milliers de gens que j'ai questionnés évaluent leurs sentiments de façon très largement négative : ils se sentaient honteux et désœuvrés [...]. En somme, plus les gens regardent la télévision, moins ils sont heureux[2].

C'est dire aussi la force d'attraction prodigieuse et souveraine de la télévision, forcément liée à des pulsions capables de tout balayer sur leur passage, écrasant notre volonté et notre goût du bonheur. Quelle puissance mystérieuse recèle cette télévision que l'on juge impropre à stimuler notre bonheur, mais que l'on propulse aux premiers rangs de nos occupations courantes ? Cela soulève une des plus grandes énigmes psychologiques et sociales de notre temps.

La mauvaise conscience du téléspectateur

Apparemment inconscient des effets que la télévision a sur lui, le téléspectateur s'évertuera pourtant à nier soigneusement le nombre d'heures qu'il y consacre. Dans toutes les enquêtes, à la question « Combien d'heures regardez-vous la télévision ? », la moyenne des réponses oscille autour d'une dizaine d'heures par semaine. L'enquêteur doit effectuer un décompte serré, jour par jour, utiliser des astuces techniques, pour retrouver la réalité objective de l'écoute télévisuelle : ces 20 à 30 heures hebdomadaires assis devant le récepteur, selon la fourchette statistique la plus admise.

Ce mécanisme de déformation de la réalité marque bien que, confusément, on sait que l'on regarde trop la télévision... tout comme l'alcoolique sait, au fond de lui-même, qu'il boit trop, même s'il atténue son comportement par des entourloupettes mentales : « Deux ou trois petits verres par jour n'ont jamais fait de mal à personne. Aujourd'hui, c'est la fête ! Demain... » Mettre la télévision au bas de sa liste des causes de contentement personnel, mais la regarder quand même près de 30 heures par semaine, dénote une contradiction flagrante entre conduite et opinion, ce qui signifie qu'on reconnaît implicitement le fait que l'on consomme la télévision à l'excès. Les gens ressentent une solide insatisfaction à tant investir dans une activité qui, en proportion, leur apporte si peu. Aveu dramatique qui accuse toute notre société et notre culture.

La télévision menace le bonheur des individus par une mobilisation de temps trop importante, qui les détourne d'activités plus gratifiantes. Le fait important que révèle cette enquête, c'est que les victimes sont conscientes de cette vie en porte-à-faux, génératrice d'un bonheur terne et mou.

Reprenons nos données : pourquoi trois personnes sur quatre se sentent-elles heureuses en écoutant de la musique, selon l'enquête du *Point,* alors qu'elles y consacrent à peine 30 minutes par jour, huit fois moins qu'à leur télévision chérie ?

Manque de volonté ? Imbécillité congénitale ? Évidemment pas. Ce qui est en cause n'est pas d'ordre moral. La télévision agit objectivement comme un aimant braqué sur l'esprit humain, balayant une multitude d'activités plus intenses et génératrices de bonheur et de gratifications profondes. Cet effet dictatorial n'est qu'à demi conscient et fait en sorte que les aspirations individuelles — comme écouter de la musique —, pourtant conscientes et logiques, se retrouvent constamment escamotées par la puissante et clandestine attraction de la télévision.

Ces faits sont incontournables et il est temps d'en prendre conscience et d'en tirer les conclusions qui s'imposent : la télévision nuit à la réalisation d'activités qui sont pourtant sources de bonheur et de contentement. Des gens qui seraient plus heureux en écoutant de la musique ou en pratiquant la natation se retrouvent coincés dans un rapport de forces étrange où le petit écran les crucifie dans leur salon.

Paradoxe étonnant qu'il faut cesser de prendre à la légère, voire à la blague, si on veut le comprendre vraiment. Creusons plus loin que les explications superficielles et stéréotypées pour saisir la subtilité et la puissance des attractions à l'œuvre dans l'activité télévisuelle. Par exemple, en prenant conscience de cet autre paradoxe étonnant : les séductions enchevêtrées de l'Argent et de la Télévision.

À la poursuite du bonheur creux

Les éléments qui composent notre société et les rouages qui les relient les uns aux autres ne vivent pas en harmonie totale, on s'en doute : fonctionnement erratique, ratés et illogismes colorent sans cesse la machine sociale. En trois temps, posons le doigt sur un de ces errements, en forme de paradoxe bien rond.

Primo, posons d'une part une idéologie omnipuissante, qui impose à tous que le but de l'existence est d'amasser de l'argent et des biens de consommation. Toutes les organisations importantes, les médias, la publicité, voire notre entourage ne respirent que par un seul mot : le fric. Mis à part quelques fortes têtes, demi-dieux cuirassés contre les idéologies dominantes, nous mesurons notre succès et nos capacités personnelles au fric que nous entassons dans notre compte de banque et aux biens qu'il procure... Constatation archiconnue, déplorée en paroles mais acceptée en pratique.

Secundo, posons encore que chacun de nous veut améliorer son sort et se sentir mieux dans sa peau, voire toucher au bonheur. Ces idéaux, on croit les atteindre par l'argent et le confort matériel. Chacun se sent plutôt insatisfait de son train-train quotidien et cultive un désir profond de « changer le monde ». Promotion au travail, création artistique, voyage, arrêt du travail astreignant et bébête, approfondissement des plaisirs de la vie familiale, de la vie amoureuse ou des amitiés : chaque individu a en tête l'espoir de vivre autrement et d'être plus heureux. Il tient le coup au boulot et dans les récifs de sa vie quotidienne grâce à sa foi en cette illusion et cet espoir sans cesse reporté. Plus tard, la vie sera meilleure... Logique avec lui-même, notre système érige en principe sous-jacent que la course au fric permettra un jour de changer sa vie : « Quand j'aurai assez d'argent » ou « Si j'avais assez d'argent », selon le degré d'optimisme de chacun, « j'irai(s) vivre dans une île merveilleuse des Antilles », « j'achèterai(s) cette superbe Mercedes » ou « cette splendide maison de campagne », et ainsi de suite, chacun pouvant compléter pour lui-même le rêve de Perrette, puisque chacun cultive sa propre carotte argentée qui le fait courir derrière la caisse enregistreuse.

Tertio, la bizarrerie la plus absurde de cette dynamique concerne, évidemment, le rôle qu'y joue la télévision. Si vous deveniez millionnaire demain matin, que feriez-vous pour « changer votre vie », selon les diktats de la grande illusion qui fait rimer bonheur avec fric ? Cesseriez-vous de regarder la télévision 30 heures par semaine pour vous livrer à la planche à voile en Guadeloupe ou fréquenter assidûment les concerts de l'Orchestre symphonique ? Jamais de la vie ! Vous regarderiez encore la télévision 30 heures par semaine, sinon 35 ou 40 heures puisque vous disposeriez de plus de temps ! Regarder la télévision est une activité indifférente à toute situation financière et en ce sens, le flot d'argent n'a aucune raison de transformer cette relation de dépendance envers la télévision. Par analogie, pourquoi un individu soudain devenu millionnaire arrêterait-il aussi soudainement de fumer ? Notre assujettissement à l'esclavage télévisuel constitue un barrage majeur à la possibilité de vraiment « changer sa vie », y compris dans le contexte d'une grande aisance financière.

Il est fascinant d'examiner, avec quelques années de décalage, la situation de ces familles qui ont remporté une forte cagnotte à la loterie. Heure après heure, dans leur vie quotidienne, elles font la même chose qu'auparavant ; regarder la télévision remplit la majeure partie de leurs temps libres, comme d'habitude !

Constatons : 1° que changer vraiment le train-train de sa vie quotidienne exige une mentalité adaptée à l'ampleur du défi ; 2° que le fric ne suffit pas à briser la dépendance à l'endroit de la télévision ;

et donc 3° que ceux qui espéraient trouver le bonheur en nageant dans la richesse se retrouvent toujours assis devant leur téléviseur, sans doute un supermodèle à haute définition dans un salon luxueux, emplis du sentiment bien compréhensible d'avoir été bernés au détour du chemin !

Contrairement à l'axiome connu, il n'est pas exact que l'argent mène le monde : la télévision lui fait une rude concurrence. Dans notre vie quotidienne, sa dictature est plus englobante, plus constante et plus importante que quelques zéros de plus dans un compte de banque ou qu'une bagnole de luxe. Une société dominée en théorie par l'argent est dominée en pratique par la télévision.

La Télévision est une créature discrète qui s'accommode bien d'abandonner le devant de la scène au sacro-saint Fric. Face à lui, qui affiche ses couleurs sans vergogne — « Soyons heureux par le fric ! » —, la Télévision ne ressent pas le besoin prétentieux de clamer haut et fort : « Soyez heureux par votre téléviseur ! » Cent mille heures plus tard, contemplant son public engourdi sous la perfusion télévisuelle, l'Ange de la télévision peut s'estimer content de sa victoire complète… et clandestine.

L'algèbre de la télévision

L'humour et les mathématiques peuvent servir à illustrer certaines constatations que nous venons de faire.

Tout esprit plongé dans une émission de télévision en reçoit une poussée égale au nombre d'heures d'exposition multiplié par le degré de crétinisme au carré de ladite émission. Cette relation fut découverte par Albert Einstein qui lui donna une formulation mathématique devenue fameuse, où :

e = une émission de télévision donnée
m = la masse des heures de visionnage
c = l'intensité de crétinisme de la dite émission.

D'où : $e = mc^2$

En moyenne, un individu donné occupe 728 heures de sa vie à faire l'amour contre 94 000 heures à regarder la télévision ; cette statistique ne tient pas compte des ébats des couples devant leur appareil (cumul d'occupations).

Selon la loi des rendements décroissants, on attire les tranches additionnelles de téléspectateurs par des doses additionnelles de spectaculaire, de violence et de pacotille. Ainsi, on constate que chaque pourcentage supplémentaire qu'un producteur d'émission télé ajoute à son auditoire déjà conquis entraîne une baisse proportionnelle de la qualité de ladite émission.

De l'utilisation de la télécommande : le temps passé à butiner d'une émission à l'autre sera proportionnel à votre envie de vous arrêter devant l'émission la moins mauvaise.

Tout votre temps disponible qui peut être envahi par la télévision le sera immanquablement.

Le goût de s'adonner à la pratique d'un sport quelconque variera de façon exactement inverse au nombre d'heures consacrées au visionnage d'émissions dites sportives.

Il n'existe aucune relation de cause à effet entre le niveau de compétence des « artisans » d'une émission et le niveau d'intérêt des téléspectateurs.

Indépendamment de la qualité, du nombre et de la variété des émissions présentées à un moment x, le nombre de téléspectateurs demeure constant, de même que le nombre d'heures qu'ils y consacrent.

Interdire de fumer pendant les pauses commerciales augmenterait l'espérance de vie moyenne de la population de huit mois. L'interdire en plus pendant les émissions sportives, les poursuites de malfaiteurs et les attaques de monstres conduirait à la faillite d'un fabricant de cigarettes sur trois. Par contre, interdire à la télévision les émissions sportives, les poursuites de malfaiteurs, les attaques de monstres et les pubs causerait la faillite de neuf stations de télévision sur dix. Voilà pourquoi les patrons de la télévision fument tant. C.Q.F.D.

Tout régime amaigrissant peut être tenu en échec par un nombre suffisant d'heures de télévision.

Plus une émission est insignifiante, moins il y aura d'interruptions publicitaires.

Supposons que, à chaque fois qu'un acteur du petit écran se fait tuer (fusiller, écrabouiller, etc.), chaque téléspectateur se lève dans son salon et fasse le tour de son fauteuil à la course. Supposons en plus que durant toutes les pauses commerciales, notre même téléspectateur se livre à quelques pompes. Cela améliorerait l'état de santé de la population de 34 %. À vos postes !

Devant un appareil de télévision allumé, le goût de tenir une conversation entre amis variera proportionnellement au nombre d'amis absorbés par l'émission et de façon inversement proportionnelle au niveau de tape-à-l'œil de l'émission en cours, le degré de solitude de chacun demeurant constant.

Le degré d'énergie d'un enfant quelconque sera toujours dégonflé par un nombre suffisant d'heures d'écoute de la télévision.

Quelle que soit la chaîne sur laquelle vous arrêtez votre choix, vous penserez toujours qu'il y a ailleurs une meilleure émission en cours.

Quel que soit votre degré d'aspiration culturelle, l'émission que vous vous préparez à regarder vous décevra.

La recette du patron du réseau : le nombre d'heures durant lesquelles on réussira à vous retenir sur votre siège devant votre téléviseur est décrit par l'équation suivante, formule secrète que les patrons de réseau se transmettent de père en fils :

$$t = \frac{mbr}{C}$$

où :

- *t* est le temps consacré à la télévision par un individu donné ;
- *m* désigne le nombre de meurtres dans un film ou une émission ;
- *b* désigne le nombre de bières bues devant le petit écran ;
- *r* désigne le nombre de rixes dans l'émission ;
- *C* fait référence au nombre de messages publicitaires diffusés.

Plus le nombre d'êtres humains rassemblés dans la pièce où trône le téléviseur est élevé, plus la tentation d'éteindre l'appareil de télévision est forte.

CHAPITRE IX

La grande démobilisation

On dirait que les images me traversent, elles pénètrent au plus profond de moi-même, au-delà de ma conscience, à un niveau très profond, comme s'il s'agissait de rêves.

Jack Edelson [1]

LA SUITE d'émissions que le téléspectateur regarde à la queue leu leu possède une propriété étonnante : celle de niveler soigneusement les messages et les contenus. Chaque émission et chaque séquence de la soirée sont noyées dans l'impression d'ensemble, comme la forêt escamote les arbres. Le gigantesque empilement d'images dilue complètement toute image particulière, fût-elle fantastique, émouvante ou inédite.

Des mesures précises révèlent qu'un plan ou une scène de télévision ne dure en moyenne que trois secondes et demie, faisant ainsi du visionnage un déferlement d'éclairs éblouissants, qui « liquéfie » une scène particulière. Forcément, aucun moment fort ne peut se détacher d'une succession de séquences à la fois aussi hachée et allongée. À force de regarder la télévision comme on fait un marathon d'endurance, chaque minute est semblable aux autres et ne pourra jamais s'en différencier. Quel temps fort, quel message intense réussirait à traverser l'immense monotonie d'une suite d'images déferlantes ? À un certain niveau, la quantité empêche la qualité de s'imposer à l'écran.

En théorie de la communication, on connaît bien ce type de brouillage introduit par une surabondance d'informations. Pensons au bavardage incessant de ces moulins à paroles que l'on rencontre au coin de la rue. Derrière le torrent de mots, votre interlocuteur proférerait-il soudain une réflexion profonde ou un raisonnement subtil qu'il vous échapperait, le flot de paroles ayant englouti l'idée miraculeuse !

Une vérité incontournable s'impose : qu'il soit esthétique, religieux, politique, philosophique ou moral, aucun message intense ne peut être véhiculé par la télévision à cause du nombre d'heures qu'on lui consacre et donc de la quantité d'images qui déferlent. Dans la banalité de l'ensemble, l'abus tue tout message complexe. Par conséquent, certains « artisans » de la télévision doivent changer leur manière de voir pour se préoccuper non pas du contenu de l'écran, mais plutôt de l'individu assis chez lui devant son récepteur. Là est la mesure de l'univers télévisuel : la réalité vécue de la télévision est une bousculade de millions d'images absorbées par un individu durant près de trois heures d'affilée chaque jour.

Cela explique pourquoi la télévision devient handicapée dès qu'il s'agit de choses profondes, nuancées et complexes. Gros sabots et grandes gueules sévissant des heures durant ne laissent rien d'intelligent derrière eux, tout comme on disait d'Attila, le roi des Huns, que l'herbe ne repoussait pas là où il avait chevauché.

En somme, 20 minutes de contenu de haute qualité ne comptent pour rien parmi 20 heures de banalités bavardes et tonitruantes. Le contexte d'une soirée ordinaire de télévision est tel qu'une information de qualité ne peut pas être appréciée, ni son absence remarquée. Alors pourquoi les concepteurs de grilles horaires se contraindraient-ils à inclure de tels boulets inutiles et coûteux ? On se contente fort bien d'une succession d'émissions pseudo-policières, dont la structure semble faire corps avec la télévision.

La télévision en son temps

Les faits sont indéniables : la télévision est une collection d'instants mous enfilés comme des perles dans la continuité d'un même et interminable spectacle. Vouloir donner du relief à un de ces moments en le concentrant sur un problème fondamental ou une réflexion sérieuse apparaît de prime abord voué à l'échec. Il serait tout de suite balayé par la procession de sons et d'images lui succédant.

En ce sens précis, on peut dire que la télévision démobilise les citoyens face aux plus grands problèmes de notre temps, soit l'hégémonie américaine, les menaces nucléaires ou terroristes, le déséquilibre pernicieux de l'économie mondiale, cause du sous-développement des deux tiers de l'humanité, et la détérioration de notre environnement planétaire. Dans ces quatre cas, la structure causale des problèmes et l'enchaînement des facteurs qui génèrent ces situations pénibles sont fort complexes — trop complexes en tout cas pour les capacités mentales de la télévision.

S'il est vrai, comme l'affirment certaines enquêtes, que la majorité des gens recueillent leurs informations courantes à la télévision, alors les conséquences en seront encore plus dramatiques. Les performances de la télévision sont médiocres, autant au chapitre des explications fondamentales des choses qu'à celui de la simple acquisition d'un savoir général. Ainsi, un sondage démontrait que 45 % des Américains sont incapables de situer l'Amérique centrale sur une carte et que 57 % d'entre eux ne peuvent évaluer, même grossièrement, la population de leur pays[2].

Au royaume de la télévision, une large majorité de gens disent s'informer par la télé. Or, la démonstration de son pouvoir « pédagogique » et « informatif » est fort peu convaincante : une enquête citée par Neil Postman a établi que 51 % des téléspectateurs américains ne se souvenaient même pas d'un seul titre du journal télévisé quelques minutes après l'avoir regardé[3]. En somme, malgré le flot et le clinquant des images, la rétention des informations est quasi nulle, eu égard aux heures consacrées au visionnage. Une professeure de cégep écrivait : « Je suis frappée par le fait que des étudiants qui regardent, paraît-il, plus de 20 heures de télévision par semaine, soient si peu instruits de tout ce qui se passe ailleurs sur le globe, sans revenir sur leur ignorance du passé [...][4]. »

Ce qui est en cause, ce ne sont pas des émissions mal faites ou l'absence de bonnes émissions d'information. Non. Par sa nature même, l'univers de la télévision ne peut que proposer des grilles trop grossières pour appréhender et transmettre les données majeures des questions auxquelles sont confrontés les gens d'aujourd'hui. Dans le présent système, aucune caméra ne peut fouiller vraiment les tenants et aboutissants de la guerre en Irak ou le rôle des États-Unis dans la politique d'occupation israélienne. Impossible de démonter au petit écran les mécanismes économiques du sous-développement du tiers-monde. Les causes de la destruction de la couche d'ozone ou de notre empoisonnement collectif par la pollution sont non seulement hors de portée de l'esprit télévisuel mais relèvent justement du même système de consommation que la télévision. Ainsi, le savon et les automobiles vendus par la télévision agressent directement nos rivières et notre atmosphère.

On ne parle pas ici de censure politique, ce qui serait plus simple à combattre, mais de censure « naturelle » par la nature même du média tel qu'il est exploité.

Il va de soi qu'au milieu de sa boulimie d'images, la télévision essaie à l'occasion de tripatouiller des sujets sérieux et lourds. Elle le fait à sa manière, c'est-à-dire dans une pluie de clichés, de sensationnalisme braillard ou de tape-à-l'œil qui, sur le coup, laissent la vague impression qu'elle s'est intéressée au problème. En fait, elle nous gratifie d'un spectacle mystificateur qui, par essence, demeure à la surface des faits. On cueille quelques scènes-chocs, quelques détails spectaculaires, juste ce qu'il faut pour émoustiller un voyeurisme criard qu'elle ne tient surtout pas à dépasser.

Comme le dit l'adage, celui qui a un marteau entre les mains voit tous les problèmes en forme de clous. Par sa nature tape-à-l'œil, la télévision interdit toute saisie profonde de n'importe quelle question supposant réflexion et compréhension, qu'il s'agisse d'économie, de relations humaines ou de physique nucléaire. La télévision porte une grande responsabilité en escamotant de la sorte les grands drames de notre époque qui menacent notre survie comme espèce, drames d'une envergure sans précédent depuis l'apparition de l'*Homo sapiens*. Elle démobilise les esprits non seulement en les bourrant d'insipidités — style téléromans, publicités, spectacles policiers et sportifs —, mais surtout en laissant croire qu'elle informe. Danger pour danger, il vaut peut-être mieux l'ignorance douce que l'illusion du savoir creux et sonore.

Disons-le solennellement : si un jour, une guerre totale ravage notre planète ou si la pollution finit par nous faire crever, l'usage que nous aurons réservé à la télévision depuis 60 ans devra être mis au premier rang du banc des accusés... à condition que quelqu'un survive pour tenir un tel procès !

Le procureur : « Malgré ses potentialités et ses capacités en communication, l'accusée a laissé l'humanité couler à pic dans l'ignorance et la déformation grossière des réalités socioéconomiques, stratégiques et géopolitiques ! »

La télé : « Oui, votre Honneur ! Mais j'avais tellement de savon à vendre ! »

Le spectaculaire et l'information

Précisons la nature de ce que nous transmet la « Fée des ondes ». Nous l'avons dit, la télévision est un des plus mauvais porteurs d'information qui soient, autant par le peu d'information qu'elle transmet que par l'illusion qu'elle entretient d'informer merveilleusement bien. Il est impossible d'expliquer des faits en en faisant sans cesse matière à suspense et à coups de théâtre dramatiques ! On n'informe pas à coups de tambour et de grosse caisse, seuls registres de nos téléjournaux.

Si on montre au petit écran un individu qui reçoit une gifle magistrale de son voisin, cela impressionne, bien sûr, mais ne signifie strictement rien. Il s'agit d'un épisode spectaculaire mais incompréhensible en soi d'une histoire sans doute plus complexe : qui sont ces gens ? D'où vient leur animosité ? À la suite de quels gestes ou de quelles paroles survient cette gifle ? La télévision montrera toujours la gifle et uniquement elle, expédiant le reste en quelques mots sans impact face à la force des images. Voyez ces reportages sur le Proche-Orient : le spectaculaire ne fait pas que sélectionner une partie de l'information, il la noie dans le mouvement des images. La gifle, uniquement la gifle.

Information-spectacle, dit-on souvent. Non ! Ce n'est que du spectacle... L'information est exterminée par la mise en scène sensationnelle dont on l'affuble. Le tape-à-l'œil ballotte nos émotions, nos stéréotypes et nos préjugés sans direction aucune, dans une espèce de saut sur place qui nous laisse l'impression illusoire d'avoir vu ce qui se passe dans l'actualité mondiale... comme si on pouvait « voir » les causes de la dégradation de l'environnement, de l'occupation israélienne des terres palestiniennes, de la montée de l'intégrisme musulman, du chômage ou de l'explosion démographique ! Le prétendre, c'est jeter de la poudre aux yeux, désinformer, mystifier de la façon la plus perverse qui soit.

Informer signifie « donner une forme », c'est-à-dire replacer un événement dans un contexte. À l'inverse, focaliser avec fracas sur un aspect de cet événement équivaut simplement à manipuler le public. La sélection des faits qui feront l'objet du spectacle quotidien constitue une blague entre initiés des téléjournaux : c'est tout et n'importe quoi, le plus criard et le plus creux étant propulsés d'emblée au rang d'événements majeurs de la journée.

Parce que la télévision ne se nourrit que de ce qui hurle et de ce qui est sanglant, l'information destinée à des centaines de millions de gens devient un cirque grotesque. Face à l'actualité, la télévision est une demi-voyante sujette aux hallucinations, qui oblige toute une population à partager son infirmité.

La puissance de ses tambours est telle qu'elle occupe toute la place, anéantissant les autres médias et ravageant toute la structure psychologique de l'information et de la compréhension des faits. Résultat: une majorité de journaux et de revues survivent en tentant de suivre cahin-caha l'« esprit informatif » imposé par la télévision.

Prétendre, comme certains, que la télévision manipule ou désinforme ne recouvre pas toute la réalité. Ce que la télévision commet est pire: elle opère à côté du réel, dans un monde imaginaire construit pour le tape-à-l'œil. Prétendre que la télévision informe, c'est prétendre que les westerns constituent des documentaires historiques sur l'Amérique du XIXe siècle!

Faits du jour ou récits de western ne sont que des prétextes à spectacles et à images-chocs. Le fond et la trame de la réalité laissent de glace le « journalisme » télévisuel et l'intéressent autant que le sort de la première dent de lait de Churchill. La télévision développe ainsi une simili-information selon ses propres règles, en parallèle à la réalité. Ce n'est que coïncidence si le décalque télévisé rejoint par moments ce qui se passe vraiment sur notre planète.

En fait, le monde réel sert de décor à une mise en scène spectaculaire; de cette façon, l'information se moule fidèlement sur toute la structure de la télévision. Qu'on y réfléchisse bien et on réalisera l'absence de différences essentielles entre les téléromans, les mini-séries, les publicités, les clips, les actualités et le télésport. La trame est identique, seule varie la croyance du spectateur qui pense qu'il s'agit de genres différents. Pourtant, tout y est spectacle mis en boîte par les studios.

Les entremets de la télévision

Les entrevues télévisées constituent une concession limite de la part des « penseurs » de nos réseaux. Poussés par les remontrances édentées du Conseil de la radiodiffusion et des télécommunications canadiennes, tiraillés par quelques remords subsistant de leurs anciens idéaux de jeunes journalistes, les « responsables de l'information » [*sic*] accordent parcimonieusement aux téléspectateurs quelques instants quotidiens d'entrevues de journalistes avec des personnalités du monde de la politique, des affaires, de la science, des arts — ce que dans le milieu on désigne avec dédain comme des « shows de chaises ».

Nous atteignons ici au fin du fin de la touche télévisuelle, celle qui tente de faire oublier les *NYPD*, les *Virginie*, les *Goldorak*, les *Matchs des Étoiles*, les *Téléthons de l'hépatite virale 13* et les pubs de pâte dentifrice pour dentiers ! Loin de la plèbe galeuse des émissions ordinaires, nous entrons dans la sphère exiguë du Beau Monde de la télévision, le Sénat cathodique où l'on concentre le sérieux, le profond, l'intelligent, l'explicatif... Sans nier la générosité de ces moments privilégiés, ni leur intérêt objectif, je me permets une remarque de fond sur la texture de ces émissions : elles sont animées par des journalistes vedettes, dont la première qualité est précisément d'être des vedettes, c'est-à-dire d'être télégéniques, d'afficher de belles gueules et d'avoir une diction châtiée, de porter des vêtements étudiés pour s'accorder aux décors. Ils évoluent à l'écran comme des acteurs rompus au métier, ce qu'ils sont sans nul doute, comme en témoignent leurs salaires et leur air de supériorité devant les pauvres confrères reporters qui battent la semelle aux conférences de presse.

Voilà que viennent se livrer à eux des victimes dont le métier est tout autre : ministre, enseignant, médecin, entrepreneur, scientifique, écrivain, artiste, généralement des sommités dans leur domaine. Ces gens atterrissent soudain en pays dominé, dans un état subalterne : coincés devant un intervieweur vedette, ils sont forcés de jouer un jeu qui ne peut que les désavantager. En effet, même pour des fins soi-disant « nobles », la télévision ne peut se débarrasser de sa texture profonde de spectacle : des deux personnages qui sont devant nos yeux, vous devinez bien lequel donnera toujours un meilleur spectacle que l'autre. La vedette intervieweuse écrase toujours l'interviewé, car la nature de la télévision exige que la forme écrase toujours le fond.

Dans la majorité des cas, on assiste alors au spectacle déchirant de quelqu'un qui a quelque chose à nous dire, qui a un passé derrière lui, qui construit une œuvre (en affaires, en arts, en sciences, etc.) et qui, devant la caméra, a l'air d'une pauvre cloche confrontée à une belle et grande gueule rompue aux usages télévisuels. Sa mise en boîte est assurée, car il est dans la logique de ces entrevues que la vedette domine la victime. Dans le milieu du téléjournalisme, on vante avec un clin d'œil tel confrère ou telle consœur qui a bien écrasé son invité : « Il lui a fait sortir ce qu'il avait dans le ventre ! » Les exceptions à ce jeu cruel — et qui a peu à voir avec l'information —

surnagent parce qu'elles sont elles-mêmes des vedettes télévisuelles: beau combat que deux superficialités qui s'asticotent poliment avec le respect que l'on se doit entre collègues.

Quel est donc l'objet principal de ce genre de spectacle ? On se doute bien que le pauvre invité ne réussira jamais à exposer ses idées, obligé qu'il est de les concentrer jusqu'à la caricature, de manger ses mots et de terminer abruptement ses phrases avant d'être interrompu par le journaliste vedette qui, en règle générale, se fout pas mal de ce que raconte sa victime et qui y voit surtout matière à se mettre en valeur, lui. Il semble dire: « Regardez ma gueule, mon aisance, ma facilité à suivre les jeux de caméra ! Comparez avec cette pauvre dame ou ce pauvre type intimidé... Et ma diction ? Vous l'avez remarquée, ma diction ? »

Cette déchéance calculée des invités culmine dans la formule de la table ronde ou des entrevues à plusieurs invités. Tout l'art des intervieweurs de variétés consiste alors à naviguer d'un invité à l'autre pour les mettre en contradiction et en porte-à-faux, les faire se prendre aux cheveux ; si l'un ne réussit pas à ridiculiser l'autre, il s'en chargera lui-même, lui, le dompteur qui mate les invités de son fouet verbal et termine son tour de piste en les laissant la langue pendante ! L'important est de créer un bon spectacle, de retrouver par une coquetterie compliquée l'ornière la plus sensationnaliste de la télévision. En se démaquillant, la vedette s'imagine pratiquer encore un métier qui se nomme le journalisme: elle se gausse des pauvres types qui animent les jeux télévisés et les tirages de la loterie, sans réaliser qu'elle appartient au même univers qu'eux.

La prétention constitue sans doute le pire abus de tout ce système. Dans un tel contexte, il vaudrait sans doute mieux que la télévision se retienne de jouer à faire de l'information. Au vu du peu d'informations vraiment transmises et absorbées, des déformations importantes laissées dans l'esprit des victimes, certains pourraient estimer que la véritable information est une denrée trop précieuse pour la laisser aux mains des responsables retors de l'esprit télévisuel. Et peut-être que libérés de l'illusion d'être « télé-informés », beaucoup de gens rechercheraient enfin de l'information authentique et explicative ailleurs qu'au « cirque ».

CHAPITRE X

Télévision contre démocratie

Toute l'information politique, historique, culturelle est reçue sous la même forme, à la fois anodine et miraculeuse, du fait divers. Elle est tout entière actualisée, c'est-à-dire dramatisée sur le mode spectaculaire, et tout entière inactualisée, c'est-à-dire distancée par le médium de la communication et réduite à des signes.

Jean Baudrillard [1]

AU QUÉBEC, il y a quelques années, une populaire série télévisée, intitulée *Bunker, le cirque*, offrait une image étrange de la sphère politique : tous les protagonistes — politiciens, hauts fonctionnaires, ministres, membres de cabinets politiques — évoluaient dans un monde pimenté d'intrigues, d'ambitions et de passades amoureuses, un assaisonnement de tous les ingrédients du genre. Chaque semaine, ces personnages s'installaient devant des bureaux luxueux, mais dépourvus de documents. Personne ne traversait un corridor avec un quelconque dossier en main. Jamais l'ombre d'une discussion de fond sur un problème administratif ne venait déranger les intrigues pseudo-politiques de nos héros.

Pourtant, n'importe qui ayant tâté le milieu politique occidental peut témoigner du contraire : les politiciens sont des gens débordés, croulant sous les dossiers, coincés entre les coups de téléphone, les réunions interminables, les discussions et les rendez-vous. Ils se déplacent avec des montagnes de rapports indigestes à lire absolument, des coupures de presse à parcourir sans faute et des mémoires à signer de façon urgente. Organisées en pyramides hiérarchisées, les bureaucraties d'État produisent tellement de papiers que les pauvres bougres et bougresses installés au sommet ont peine à surnager dans cet océan de mémos et de rapports. L'exemple de l'ancien président

Reagan, paniqué devant un texte de plus de 10 lignes, constitue une exception caricaturale, à l'instar de George W. Bush qui tient toujours à préciser qu'il ne lit pas de journaux, la nourriture intellectuelle imprimée étant visiblement absente de son univers mental.

Pourtant, l'auteur de la série *Bunker, le cirque* connaissait son métier et son monde[2]. Ses personnages correspondaient autant aux critères de la télévision qu'à ceux que les clichés accolent à la vie politique : on flotte sur un magma d'intrigues sans contenu où le mouvement occulte le vide. En fait, une telle série est révélatrice du traitement habituel qu'accorde la télévision à la politique : elle la « rétrécit » pour l'adapter aux petitesses psychologiques du média.

On l'a dit, la télévision avale tout et le recrache à sa façon, c'est-à-dire par le sensationnel, le cliché spectaculaire dépouillé de tout noyau consistant. Or, la politique ordinaire, qui consiste à administrer un pays ou une ville, à gérer des budgets et à scruter les nombreuses lois des parlements, celle-là n'intéresse pas du tout la télévision. Pour les exigences étriquées du petit écran, la politique réelle constitue un bien mauvais spectacle.

Alors, ne nous étonnons pas que la télévision se soit créée une race de politiciens à sa mesure. Dans cet « État-spectacle », ils n'existent que par et pour la télévision. Le télépoliticien ne parle plus de problèmes politiques ; il soigne ses costumes, son bronzage, et vient doucement exposer ses projets de vacances familiales lors de quelque émission estivale. Il glisse, sourit, parle de tout et de rien, à l'image des artistes qui l'ont sans doute précédé à la même émission. Il lui est interdit de paraître impatient ou hérissé sur quelque sujet que ce soit. De par sa nature, la télévision l'oblige à se couler dans la variété et à devenir une vedette de variétés comme les autres. Puisqu'on le traite comme tel, il le devient...

En ce sens, le cas de l'ex-président Reagan, politicien de variétés, illustre nettement l'irruption d'une race d'individus en politique, une race qui va s'y incruster aussi longtemps que durera la télévision. Le politicien surgit dans notre salon entre des publicités, des films policiers et des heures d'écoute volatiles — dans un moment où un rien, un souffle de travers, suffit à détourner des millions de gens vers une chaîne concurrente. Quel message fort et charpenté pourrait traverser un tel barrage d'insignifiances structurelles ? Les critères d'évaluation des politiciens s'inversent alors du tout au tout. Petitesse des propos, hardiesse du style, art de badiner en voltigeant autour des questions : « Glissez, mortels ! N'appuyez pas... »

La télévision a donc construit son propre État, sans problèmes ni discussions politiques, qui feraient désordre et trop « haute définition » dans un média de « basse définition ». Dans tous les pays où les politiciens sont des acteurs — qui, d'ailleurs, ne passent pas si bien la rampe —, la télévision détruit la notion de débats démocratiques, puisque cette notion vitale implique la confrontation d'idées[3].

Depuis 200 ans, l'Occident a élaboré des systèmes « démocratiques », dont le but est de traiter d'une certaine manière les conflits sociaux, économiques et culturels qui l'assaillent. En l'occurrence, nos sociétés les canalisent vers un lieu dit « politique » où, par des débats et des élections, les majorités s'expriment et tranchent. De cette façon, les conflits de toute sorte évoluent, à défaut de se résorber. Or, la télévision nie ces conflits, jugés incompatibles avec sa nature. Elle les évacue, car ils font mauvais genre dans une programmation de 100 heures par semaine. Et les acteurs bronzés qui nous tiennent lieu de politiciens se font à leur nouveau style, les plus scrupuleux dissociant totalement leur vie administrative de la corvée télévisuelle.

La télévision détruit donc la sphère politique, car il est impossible d'adopter simultanément deux facettes : être honnêtement un homme ou une femme d'État et jouer à la vedette. La tension administrative de l'une et l'insignifiance calculée de l'autre créent une situation insoutenable : ou l'on s'y adapte par hypocrisie, ou l'on y abandonne sa vitalité politique.

Un « télépoliticien » peut survivre longtemps sans faire de politique, mais pas un seul mois sans faire de la télévision. On ne s'étonnera pas que les hauts fonctionnaires, qui peuvent travailler en dehors du cirque télépolitique, soient devenus les véritables animateurs de l'État et les vrais politiciens.

L'hégémonie de la télévision en politique surgit parce que le petit écran occupe toute la place dans le processus d'information de la population, en raison du nombre considérable d'heures pendant lesquelles notre perception du monde extérieur est sculptée par la télévision. Celle-ci a avalé toute la scène politique et a tout plié à ses lois. Qu'un président des États-Unis soit un ancien acteur ou que Brian Mulroney doive en grande partie sa carrière de premier ministre à sa voix de basse, préfigure un avenir encore plus radical, dans lequel les parlements ne seront que des studios de télévision, tandis que les débats politiques devront se plier à toutes les règles de l'univers télévisuel : clichés, banalités, sensationnel permanent, faux coups de théâtre, prédominance absolue de la forme sur le fond et usure accélérée des vedettes. Pourtant, on imagine mal les dirigeants de grandes entreprises industrielles, commerciales ou financières mener leurs boutiques sur l'air de la bagatelle télégénique, à l'image de leurs congénères politiques.

Puisque la télévision aura bientôt verrouillé les portes menant à une société véritablement démocratique, nul doute que les gestionnaires de l'État se tiendront, eux, à l'écart du tourbillon télévisuel et prendront en charge le fonctionnement ordinaire de nos administrations publiques... loin des mystifications du petit écran, des *Monsieur le ministre* et autres émissions qui cherchent à faire croire aux téléspectateurs que la politique est ce qui se déroule devant les caméras.

La télévision contre l'école

Évoquons l'extase ancienne devant les possibilités de la télévision à ses débuts : instrument d'apprentissage incomparable qui, un jour, permettrait à des millions d'enfants d'accéder aux meilleurs professeurs et d'observer les meilleures expériences de laboratoire. L'image au service du savoir... un rêve à la Jules Verne. Ce fol espoir se réveille de façon cyclique pour venir hanter le pédagogue visionnaire, avant de retomber dans le marécage de la réalité.

Quelque 60 ans après les débuts de la télévision, force est d'admettre que dans tous les pays, la « révolution audiovisuelle » a tourné en eau de vaisselle. Échec complet de la vidéo éducative dans les écoles et à la maison ! Bien sûr, on conserve les étiquettes et les équipements coûteux acquis en période d'euphorie, pour détendre les élèves à l'occasion ou folâtrer autour d'un sujet d'enseignement... À l'heure où l'école éclate de tous côtés, où les enseignants n'en peuvent plus de pallier toutes les insuffisances parentales et sociétales, les anciens espoirs d'un média éducatif qui révolutionnerait la pédagogie se concentrent dans Internet.

Comment a-t-on pu en arriver là ? Cet échec retentissant provient simplement du décalage prodigieux entre la réalité dévoreuse et médiocre de la télévision et le rôle mythique que des âmes généreuses et naïves lui avaient attribué, en en faisant un véritable « apostolat social ». Encore une fois, le petit écran a fait dans la mystification et la double personnalité.

Dans la réalité scolaire de tous les jours, les enseignants constatent que « l'aide pédagogique inestimable » que devait fournir la télé fait plutôt figure d'ennemi numéro un du rendement scolaire. Face à des élèves qui passent en moyenne deux fois plus de temps devant le téléviseur qu'en classe, l'école et ses objectifs ne font plus le poids. Le milieu scolaire est ravagé par la télévision, intoxiqué par cette concurrence déloyale, où le gagnant est connu d'avance. La fable de la course du pot de fer et du pot de terre, vous connaissez ?

Chose étonnante, les autorités persistent presque partout à animer le système scolaire comme « avant », comme si la télévision était un phénomène marginal, sans incidences sur le domaine scolaire officiel ! Elles semblent plutôt bien s'accommoder de la coexistence de deux mondes parallèles, alors que les enseignants, sur le terrain, savent bien que l'un dévore l'autre. Et ce n'est pas d'hier qu'on y crie au secours. En Amérique comme en Europe, les pédagogues les plus lucides ont cessé de faire semblant de ne pas voir et sonnent le tocsin pour prévenir de la catastrophe. Mais en quoi la télévision mine-t-elle l'école de l'intérieur, tel un cancer aux métastases indestructibles ? Rappelons deux évidences :

- La scolarisation a pour but, entre autres, d'enseigner la résolution de problèmes, la compréhension des éléments en cause et les liens entre eux.
- L'enseignement et l'apprentissage dirigé visent à inculquer aux jeunes des méthodes de travail et de recherche, que ce soit en mathématiques, en histoire, en chimie, etc. L'enfant apprend à apprendre, ce qui à long terme lui servira mieux que l'accumulation d'informations rapidement défraîchies. À cet égard, les bases de la méthode expérimentale sont particulièrement importantes à acquérir.

Compréhension et résolution de problèmes, apprentissage de méthodes de pensée, voilà des activités de l'esprit totalement absentes du contenu ordinaire de la télévision, y compris de la télévision pseudo-éducative. Telle que nous l'avons décortiquée, la structure des émissions vise à surprendre, manipuler, vendre et est incapable par nature de s'élever à un niveau abstrait où on peut acquérir justement des méthodes de penser. Là est le cœur de l'échec du mythe de la télévision « formatrice ». Au contraire, comme le disait McLuhan [4], « l'éducation est une entreprise de défense civile contre les retombées des médias ».

Les contenus de la télévision sont conçus de façon à n'exiger aucune compréhension de la réalité extérieure. Par contre, les images vous sautent littéralement à la figure et vous devez vous laisser aller dans le courant déferlant. Seul un miracle intellectuel permettrait à quelqu'un de dominer le matraquage des séquences durant autant d'heures d'affilée. Dans ce contexte, l'école et la télévision opèrent selon deux logiques opposées: l'une veut pénétrer l'essence des choses, tandis que l'autre joue superficiellement avec ces choses, comme un jongleur dont on suit avidement les mouvements. L'immédiat tout en apparences de la télévision captive autrement plus que la décortication réflexive des lois de l'univers... mais ne conduit à rien d'autre qu'au vide. Une fois l'écran éteint, ne reste que le « silence effrayant du néant ».

La voix du professeur est noyée dans la cacophonie ambiante: « La télévision a aplani toutes les voix, tous les discours, et le professeur qui était aussi celui qui portait le savoir de son discours a le plus grand mal à parler et à être entendu[5]. » Comme le disait un pédagogue, « il est très difficile d'imaginer une analyse convaincante qui associerait de façon irréfutable le visionnage de la télévision et la performance scolaire[6] ».

Récréation pour les élèves, la télévision est aussi une re-création d'un univers qui s'oppose à celui de l'apprentissage: personnages sans subtilité psychologique, sans densité intellectuelle, qui n'évoluent pas dans leur vie; stéréotypes de langage, de répliques, de situations, et violence qui envahit tout. L'effort individuel n'existe pas pour les personnages de la télévision: le chercheur, l'organisateur, l'administrateur ou le découvreur sont expulsés des émissions au profit des tireurs, des batailleurs, des belles gueules et de ceux qui détiennent la vérité toute cuite.

Un examen minutieux de 16000 heures de programmation a déjà fait état de la présence de 30 agents de police pour un seul scientifique[7]! À 30 heures par semaine de ce régime visuel, essayez de motiver un élève à l'effort mental et à la compréhension patiente des rouages d'une science! Autant enfermer le vent dans une bouteille...

Télévision et pédagogie opèrent sur des planètes différentes: à l'arrogance du tape-à-l'œil télévisuel s'oppose la modestie de l'esprit d'apprentissage; aux efforts que ce dernier impose, s'oppose la facilité du langage du petit écran. Ces différences de niveaux ne devraient même pas permettre qu'on les mette en concurrence.

Certains prétendent que la télévision transmet au moins de l'information brute, à défaut de méthodes de pensée et de résolution de problèmes. Cela ne fait aucun doute, mais avec quelles contorsions ! Sur des dizaines d'heures d'émissions, l'information qui passe est en grande partie inutile au plan pédagogique. Savoir que Volvo a modifié son modèle X40 ou que Virginie craint d'être enceinte... Que faire de cette information ? Et qu'en est-il des téléjournaux ? On l'a vu : grosses caisses, tambours et cymbales ! L'équivalent d'un quart de page de journal, d'après certaines mesures.

Les bribes d'information à valeur pédagogique qu'un enfant peut glaner durant des heures d'absorption télévisuelle ne justifient pas ses interminables séances « d'écrasement » devant le récepteur. Cinq heures de télévision n'équivalent pas à cinq minutes d'effort mental nécessaires à la compréhension d'un problème de géométrie ! D'après une étude de Gilles Dussault[8], les élèves québécois de troisième année du secondaire consacrent en moyenne 5,2 heures par semaine à leurs travaux scolaires, mais plus de 20 heures à la télévision, soit quatre fois plus. Quelles contorsions mentales permettraient d'affirmer qu'il s'agit là d'un simple « comportement de détente » normal, de deux phénomènes sans relation avec la pédagogie ou sans gravité pour nos efforts collectifs en éducation ?

La télévision passive

Regarder la télévision est l'acte le plus passif qui soit, le contraire de l'effort exigé pour recueillir de l'information, l'organiser et la penser. Les enseignants déplorent unanimement l'apathie de leurs classes : ces élèves à l'œil rougi par les excès de télévision de la veille, à moitié endormis par le film de minuit et qui semblent flotter dans la classe comme des fantômes. De toute évidence, les exposés de l'enseignant voltigent sans trouver preneurs. L'effet « télévision » empêche les élèves de participer activement à l'apprentissage, de réagir, de poser des questions et de s'interroger sur des points incompris. Comment un élève qui s'est tapé 20 heures de télévision au cours des derniers jours, sans ouvrir la bouche et sans que sa mécanique cérébrale ne se soit activée, pourrait-il brusquement sortir de sa torpeur et participer à l'élan pédagogique de l'enseignant ? Un professeur disait : « On a l'impression, en faisant les cours, que les élèves se croient devant la télévision et non devant un professeur. Ils assistent, passifs, à un *one man show,* tout en continuant à bavarder entre eux[9]. »

Notre société, qui a mis tous ses œufs dans le panier de la télévision, l'a fait sans savoir qu'elle brûlait certains des objectifs grandioses qu'elle continue à honorer du bout des lèvres, comme le sens de l'effort, du raisonnement correct, le travail de l'esprit et ce qu'il faut bien désigner comme la culture séculaire. Disons-le tout net : la main gauche combat la main droite. Par une immense hypocrisie collective, nous feignons d'ignorer cette opposition et laissons les enseignants se débattre avec des objectifs impossibles à atteindre dans une atmosphère de télévision conquérante. On fait semblant de ne pas voir que pousser à la fois vers une consommation délirante de la télévision et vers une certaine vigueur intellectuelle dans une société constitue une absurdité fondamentale, dans laquelle toute notre manière de vivre occidentale s'est engouffrée. Les élèves deviennent ainsi les victimes les plus visibles d'une situation intenable.

Alors que nous dépensons 15 milliards de dollars chaque année en éducation, qu'un élève qui termine le secondaire aura coûté plus de 70 000 dollars à la société depuis la maternelle, il vaut la peine de s'interroger sur le rendement objectif de tant de ressources bêtement laminées chaque jour par la télévision dominante. Du revers de la main, cette dernière stérilise une partie considérable de nos efforts en éducation, comme Pénélope défaisant la nuit ce qu'elle tisse le jour.

Même les plus ardents promoteurs de la civilisation audiovisuelle conquérante admettent que la science et la connaissance passent par le livre, puisque la nature « mosaïque » de la télévision lui interdit de livrer correctement un raisonnement linéaire, qui est le propre de la connaissance rigoureuse.

Prenons l'exemple de la langue maternelle, dont la détérioration s'est généralisée dans tous les pays occidentaux, à la mesure exacte de l'omniprésence de la télévision. L'apprentissage de la grammaire et de la syntaxe est impossible sans un minimum d'effort intellectuel, comme l'apprentissage d'un vocabulaire d'une certaine richesse est impensable sans la lecture répétée. Voilà deux actes contraires à la nature de la télévision.

Les émissions de télévision ordinaires utilisent une même variété pitoyable de mots, comparativement à n'importe quel livre : les séries télévisées, la publicité ou le télésport utilisent un lexique de 1000 à 2000 mots alors que le *Petit Larousse* en compte près de 35 000 ! Langue à moitié traduite et bâtarde, tel est le misérabilisme du vocabulaire télévisuel. Comment ne pas lier le langage primitif de beaucoup de jeunes avec le niveau linguistique tout aussi primaire de la télévision ?

Il n'est pas exagéré de penser que, par contact prolongé avec la médiocrité, chaque heure de télévision détériore la qualité du langage de ceux et celles qui y sont exposés, surtout chez les plus jeunes qui sont en pleine période d'apprentissage dans leur manière de structurer les phrases. Un jour, notre société devra tirer des conséquences logiques de ce genre de constatations, qui ont été faites souvent et partout. Si la télévision consommée sans discernement s'attaque à l'éducation scolaire au point de la vider de son sens, il faudra bien faire autre chose que se lamenter et s'agenouiller devant l'« inéluctable ».

En 1988, une gigantesque étude sur la performance scolaire de 24 000 enfants fut réalisée dans cinq pays et quatre provinces canadiennes, dont le Québec. Elle établit de façon irréfutable que, « pour chaque groupe, plus on dépense de temps chaque jour à regarder la télévision, plus la performance en science est pauvre ». Le groupe d'étudiants américains, dernier en mathématiques et en queue de peloton pour les sciences, se révéla détenir le premier prix en télévision : 31 % avouèrent être vissés au petit écran au moins cinq heures chaque jour [10].

Devant l'échec relatif actuel des systèmes scolaires — et ce malgré leurs coûts de plus en plus élevés —, l'école fait l'objet de mises en accusation radicales où, tour à tour, enseignants, méthodes pédagogiques, parents, élèves, cadres ou fonctionnaires passent au banc des accusés. Il serait grand temps qu'on ose y faire asseoir l'accusé principal.

Chapitre XI

La télévision violente

Depuis les années 1960, les preuves d'une influence de la télévision sur les comportements violents se sont accumulées.

La commission Kriegel[1]

Aux yeux d'un Martien qui explorerait clandestinement notre planète, la nature profondément violente de nos programmes télévisés apparaîtrait comme une évidence aussi forte que le bleu du ciel. Certains genres de productions n'existent que par leur climat de violence, de batailles et d'affrontements : téléfilms de guerre, policiers, d'espionnage, western, télésport et bien d'autres. Que notre Martien se laisse emporter au hasard d'une soirée ordinaire de télévision terrestre ou qu'il prenne son stylet-laser pour compter le nombre de bagarres, de morts, d'accidents, de blessés ou de poursuites en automobile, dans tous les cas il restera sidéré par ce goût inassouvi de violence qu'entretient la télévision (comme le cinéma d'ailleurs).

Des études indiquent qu'on voit 22 fois plus de crimes à la télévision qu'il ne s'en produit dans la réalité. Un psychiatre américain, Thomas Radecki, a constaté que les deux héros de *Deux flics à Miami* pouvaient tuer 43 personnes en 18 épisodes, soit cinq fois plus que l'ensemble de la police de Miami en cinq ans[2]. Inversement, la télévision évite soigneusement de montrer les deux spectacles les plus répandus mais les plus ennuyeux du monde : d'une part, quelqu'un qui dort et, d'autre part, quelqu'un qui regarde la télévision !

La colle à spectateurs

On a décrit plus tôt comment ce phénomène de violence télévisuelle est avant tout lié à la surenchère du mouvement des images lorsqu'on les voue à captiver le téléspectateur. L'agressivité et la violence sont d'abord du mouvement-spectacle, et c'est ce qui les rend si désirables pour l'esprit télévisuel. La violence apparaît ainsi comme une merveilleuse colle à spectateurs. Ne cherchons pas ailleurs l'explication : la banalité de la violence télévisuelle provient du complot concocté par les « artisans » de la télévision pour river devant leurs appareils durant un nombre maximal d'heures les pauvres terrestres que nous sommes.

En ce sens, un esprit qui banalise moins la téléviolence, comme celui de notre explorateur martien, verrait tout de suite que l'agressivité ne se situe pas uniquement dans les scènes de bagarres et de meurtres, mais à un niveau plus profond : dans la structure des montages des épisodes et des plans, le rythme des émissions, y compris les publicités qui manipulent le cerveau. Lorsqu'un jour ce fait sera compris des spectateurs, la nature de la télévision qu'on nous impose apparaîtra alors clairement.

Le doux optimisme

La violence de la télévision constitue le terrain de jeu préféré des « télémoralistes », ces doux optimistes qui croient qu'on peut nettoyer la télévision de ses déviations — racisme, sexisme, violence, publicités abusives — pour en faire un paradis de l'esprit et un sympathique loisir familial. Nous croyons avoir démontré les ressorts de cette illusion naïve : la violence coutumière des « meilleures » émissions programmées n'est qu'un dérivé de la violence des montages d'images et des plans. Celle-ci émane en droite ligne du projet essentiel de la télévision : visser le téléspectateur à son siège et l'y garder longtemps en hibernation.

Répétons-le : attaquer le contenu de la télévision sans faire référence en même temps au système qui le conditionne équivaut à engueuler le mineur qui souffre d'amiantose au lieu de s'intéresser aux conditions de travail dans la mine !

La timidité de l'analyse des télémoralistes n'enlève pas la nécessité de réagir à la violence excessive de la production télévisuelle courante ; contre la bêtise, on doit lutter pied à pied et sur tous les fronts.

Sans entrer de plain-pied dans les contenus de la télévision, ce qui nous éloignerait de notre sujet, évoquons-les toutefois afin d'étudier comment la violence à la télévision constitue la base des « trucs » que ses « artisans » ont dénichés pour rendre le spectateur captif. Le sujet est aussi vaste que controversé. De fait, un recensement de 1989 a retrouvé près de 3000 études en sciences humaines qui tentent de cerner la question de la violence télévisée[3] — un nombre qui a évidemment augmenté depuis.

L'approche paradoxale

Jusqu'aux années 1970, on considérait que la téléviolence comportait un effet cathartique, c'est-à-dire qu'elle réduisait l'agressivité des spectateurs en déchargeant, pour ainsi dire, leurs tensions belliqueuses[4]. Dans cette perspective, certains spécialistes mirent en exergue l'apathie naturelle qui ressort des séances d'écrasement devant son téléviseur pour l'ériger en soporifique à l'agressivité, dose pure d'antiviolence.

On a même prétendu qu'en montrant autant de violence à une population de spectateurs avachis et tranquilles, le petit écran générait non pas de la violence, mais plutôt une crainte de la violence — et même une crainte excessive. Selon ce raisonnement, bien des gens éviteraient de sortir à certaines heures, raseraient les murs et barricaderaient leur porte en raison de ce qu'ils voient dans les émissions. Ainsi, la télévision déclencherait plus de frayeur que d'agressivité. Les recherches de Gerbner font ressortir que les télévores « sont plus nombreux à croire que le monde est violent et à avoir peur. Ils sont plus nombreux à croire qu'il est dangereux de marcher seul la nuit dans une grande ville et que la vie est un chacun pour soi[5]. »

La défaite américaine au Viêt-nam, psychologique avant d'être militaire, serait ainsi la démonstration qu'un peuple pétri et façonné par la télévision devient incapable de se battre ou, du moins, de gagner. L'exemple de l'Irak ajouterait une nuance : se battre, oui, mais s'épuiser avant de remporter la manche finale. Face à des adversaires galvanisés par la radio et l'écrit — instruments efficaces de mobilisation des foules — le téléspectateur passif et voyeur devenu soldat se bat mal et peu. L'esprit guerrier ne l'habite pas ; il rêve de retrouver ses séances de télévision et est paralysé devant la réalité agressante du combat et le stress des batailles. La consommation massive de drogues, comme on l'a vue au Viêt-nam, constituait nettement un substitut à la télévision douce, maternelle et enveloppante.

En dissociant la violence et la télévision, on attribue le climat de violence de nos villes à la dislocation des familles, au chômage et à une éducation déficiente, tout en admettant quand même que la fréquentation de la télévision développe une insensibilité envers les souffrances d'autrui : à force de voir le monde extérieur si plein de menaces, on se renferme dans sa coquille télévisuelle, rassuré de ne pas faire partie des sacrifiés de la soirée. Ainsi, la télévision désamorcerait la violence ! Cette thèse surprend les profanes par son étonnant paradoxe. Il est vrai que l'expérience n'a jamais vraiment démontré la validité de l'effet paratonnerre et cathartique de la télévision.

Une vision réaliste

Dans les dernières décennies, la tendance s'est plutôt inversée, surtout aux États-Unis : devant un déferlement sans précédent de violence urbaine, d'agressions, de viols, de meurtres, y compris des épidémies de tireurs fous et autres démences, il fallait un certain culot pour continuer à prétendre que la télévision diminuait la violence, cette télévision dont les criminels se nourrissent justement une trentaine d'heures par semaine. Les recherches pointèrent alors en direction des relations causales entre le visionnage de la télévision et la violence des individus, dans des schémas de causalité complexes où interviennent la famille et l'entourage.

Ainsi, l'Académie américaine de pédiatrie considère officiellement que l'exposition répétée à la violence télévisuelle favorise l'inclination à la violence et des réponses passives devant l'exercice de cette violence[6]. Ce point rejoint une affirmation faite auparavant : l'esprit télévisuel favorise le laisser-aller et la tolérance à la violence réelle, ce qui en soi est une forme d'encouragement à la violence.

Une synthèse des recherches américaines sur le sujet, faite en 1982 par l'Institut national américain de la santé mentale et entérinée par le Chirurgien général des États-Unis, affirme qu'il existe une relation de cause à effet entre le visionnage de la violence à la télévision et le comportement agressif d'un individu. Les enfants sont particulièrement exposés car plus influençables : on estime qu'à l'âge de 16 ans, ils auront visionné en moyenne 200 000 actes de violence télévisés, dont 33 000 meurtres ! D'après une recherche, quand un enfant quitte le niveau élémentaire, il a vu près de 8000 meurtres et plus de 100 000 actes de violence[7]. Selon les compilations minutieuses de G. Paquette et J. De Guise, de l'université Laval, le téléspectateur qui, vers 1994, subissait une moyenne de neuf actes violents à l'heure vit en 2002 un mitraillage d'une scène violente à la minute. Toujours selon les deux chercheurs, la quantité d'actes violents a augmenté de 30 % entre 1994 et 2002[8].

Ajoutons qu'une recherche de l'université de l'Illinois concluait que le meilleur indice de prédiction du comportement violent d'un enfant de plus de 10 ans était non pas la gentillesse de ses parents ou leur niveau social ou monétaire, mais simplement le contenu de ce qu'il a regardé à la télé autour de sa huitième année[9].

Les propriétaires de stations de télévision et ceux qui gravitent autour d'eux nient évidemment ces phénomènes, pourtant évidents aussi bien pour notre Martien que pour les scientifiques, ou pour toute personne faisant appel à son bon sens... Le son de leurs caisses enregistreuses semble brouiller les évidences et leur tenir lieu de conscience sociale. Croire qu'ils s'autodisciplineront un jour relève de la farce grotesque !

Au sujet de la mauvaise foi des « artisans » de la télévision, le sénateur Paul Simon de l'Illinois a exprimé une opinion qui me semble clore le débat : « La majeure partie de l'industrie de la télévision persiste à nier que la violence à la télévision pose le moindre problème. Ironiquement, ils proclament que 25 minutes d'exposition à la violence n'ont aucun impact, mais que 30 secondes d'exposition à un message publicitaire possèdent, elles, un grand impact ! » Et d'ajouter : « La vraie réponse, évidente, est que la télévision vend — que ce soit de la violence, du savon ou un politicien[10]. »

Il n'existe au Québec ou ailleurs aucune volonté gouvernementale de régir la violence à la télévision. Seuls quelques télémoralistes font périodiquement des déclarations du bout des lèvres. Sans entrer dans les méandres d'un débat complexe lié à la censure dans une société, nous cherchons à démontrer que la diminution du temps passé à regarder la télé produit par ricochet un effet de réduction de la violence dans une société. Avant de songer à bannir des émissions ou à établir des formes de censure, commençons par le plus simple : incitons les gens à réduire leur consommation de télévision ! Au lieu de fixer le débat sur la nécessité d'une censure et sur ses modalités — sujets plutôt marécageux — il faut se souvenir que cette violence télévisuelle provient d'abord d'un régime débridé de production et de consommation d'émissions. Les efforts de ceux et celles qui croient que notre société et sa télévision sont malades de leur violence devraient donc viser d'abord à extirper les gens de leur fauteuil de télévision... au lieu de programmer les films de guerre à minuit.

Chapitre XII
Les artistes du sport

Je suis frappé par la collision quotidienne entre la haute technologie de l'audiovisuel et la bêtise qu'il dispense. Dans quelques années, on aura les masses qu'on a voulues, molles, machinales, vidées de toute idée, vacillant au moindre coup de torchon. Jamais le télé-spectateur n'a autant été désinvertébré.

René-Victor Pilhes [1]

Ce n'est pas un hasard si la télévision fait tellement ses choux gras du spectacle sportif dont elle consomme, tous réseaux confondus, une centaine d'heures chaque semaine. Hockey, baseball, basketball, golf, lutte, boxe, football, course automobile, etc., envahissent l'écran avec une force et une ampleur telles qu'elles nous obligent à réfléchir sur les raisons de cette affinité évidente.

Saute d'abord aux yeux le comportement paradoxal de ces millions de gens qui, lourdement avachis dans leur fauteuil, contemplent l'exercice physique au lieu d'en faire — tout en se réclamant, bien sûr, d'être de valeureux « sportifs » dans l'âme ! La tristesse ultime de cette mauvaise foi réside en ce que le temps absorbé par la télévision élimine du temps qui pourrait être consacré à des activités sensori-motrices authentiques, et combat la volonté de s'activer vraiment. On ne s'émeut pas tant du voyeurisme, au fond assez comique, de ces « athlètes de la télécommande », mais du mode de vie « télécannibalisé » qui détruit objectivement l'esprit sportif, les activités physiques saines et le goût de s'y livrer.

Au-delà de cette contradiction, qui illustre une fois de plus la force d'attraction de la télévision, la structure de ces sports, devenus de simples spectacles télévisuels, correspond à la structure de la logique du petit écran comme clé et serrure.

Primo, nous sommes en présence d'une série d'événements pratiquement connus à l'avance et stéréotypés. À l'intérieur des règles du jeu, rien n'arrive qui ne soit probable ou déjà survenu. Seul l'ordre de succession de ces événements offre quelques surprises anecdotiques : qu'un point soit marqué, qu'un retrait au bâton soit obtenu, voilà qui n'étonne pas le spectateur qui n'a qu'à y accoler le nom du héros et quelques circonstances particulières.

Secundo, le goût effréné de la télévision pour les clichés s'accorde à merveille avec le télésport : la facilité mentale avec laquelle on se laisse dériver au gré des répétitions incessantes des mêmes combinaisons (tactiques, jeux, ouvertures, etc.) explique pourquoi un ardent « télésportif » résiste facilement trois ou quatre heures d'affilée à cette « bande dessinée » monotone, terreau de paresse mentale... Au fond, étalé sur tant d'heures, on peut dire qu'il ne se passe pratiquement rien... rien que du mouvement pur : courses, passes, montée du pointeur, trajectoire de la balle, du cheval ou de l'auto. Or, pour accaparer tout le présent, le mouvement pur n'a besoin ni du passé et d'un sens, ni d'une histoire ou d'une stratégie.

Tertio, cette absence de densité mentale du spectacle sportif se caractérise par un incroyable découpage en lamelles des épisodes, un véritable morcellement : le spectacle se décompose en plusieurs éléments courts dont chacun forme un épisode quasi autonome. D'ailleurs, entre deux mises en jeu, deux tours de piste, deux rounds, on ménage une pause, généralement utilisée pour glisser une publicité, ce qui renforce le caractère discontinu de l'émission.

Malgré la simplicité des règles du spectacle sportif, on saucissonne le produit en tranches, comme si on craignait — ô horreur ! — de dépasser le niveau mental qu'on accorde au télésportif. Ce qui en résulte, ce sont des saynètes de quelques minutes, dans lesquelles est présenté un nombre limité de conventions et de stéréotypes. La pièce demeure ainsi d'une simplicité enfantine, proche du dessin animé, où l'instant présent mange le passé du spectacle et le réduit à néant.

Un monde clos

Ces règles connues forment un monde clos et qui, à la limite, dessine un univers imaginaire et utopique. Pour que le téléspectacle sportif soit « efficace », il faut y croire et entrer dans le jeu. Appartenant au monde du conformisme, le télésport s'apparente à un théâtre de marionnettes dont on connaît les conventions simplistes et strictes.

Somme toute, une partie télévisée de n'importe quoi n'exige absolument pas qu'on en suive avec attention les péripéties durant trois heures. Au contraire, on peut se contenter d'attraper quelques séquences ici et là, et l'incroyable redondance des épisodes donnera l'impression d'avoir suivi une histoire linéaire, où l'épisode C s'explique par les rebondissements des épisodes A et B.

Un film complexe comme *Citizen Kane* constitue l'inverse logique de la *Soirée du hockey*. Il est impossible d'entrer dans le cours du récit de Welles à n'importe quel moment et de s'y laisser dériver au fil d'une logique simpliste, connue et réglementée. Dans une œuvre dense, l'improbable est la règle et le style d'exploitation du contenu est un contenu en soi.

Dernier paradoxe : au contraire du film, du téléroman ou de la simple entrevue télévisée, le téléspectacle sportif prétend hypocritement être du sport et dissimule sa véritable nature de spectacle. La caméra veut se faire oublier et faire semblant qu'elle n'est qu'un relais neutre entre les joueurs et votre salon. Pourtant, ce n'est pas parce que les joueurs jouent, courent et suent réellement que, dans votre salon, le spectacle est différent des autres, avec ses acteurs, ses décors et son histoire (même simpliste). La partie de hockey a vraiment lieu dans un studio de télévision, avec ses éclairages, sa régie, ses caméras, les spectateurs en salle pour créer l'atmosphère et jusqu'aux interruptions prévues pour les publicités.

L'apparence illusionne pourtant les télésportifs, qui conservent l'impression d'assister par-dessus l'épaule des « vrais » spectateurs à des scènes qui pourraient se dérouler sans la présence de la télévision — ce qui, du seul point de vue financier, est impossible. On ne parle pas de « spectacle de hockey » mais de « partie de hockey ». Le télésport se refuse à prendre acte de sa vraie nature de « show » télévisé soumis depuis belle lurette aux mêmes règles que les autres, qui cultivent sans doute moins l'hypocrisie.

De ce point de vue, les promoteurs du télésport rejoignent les télépoliticiens et les télévangélistes qui prétendent, eux aussi, que leur relation « de vous à eux » ne constitue pas un simple spectacle télévisé mais un acte « authentique » ! La propension du petit écran à mystifier les spectateurs sur l'alchimie qui se déroule dans leur salon concourt admirablement à brouiller les pistes. Le sport et la politique, pour ne citer qu'eux, ont été avalés chair et os par la télévision, dont ils ne sont plus que des vedettes incidentes, glissées entre deux fictions, trois publicités et quatre clips. Un reste de pudeur, souvenir de leur gloire passée, les incite à prétendre être quelque chose de mieux, tout comme ces banquiers ruinés qui donnent le change aux voisins en continuant à lire ostensiblement leur journal financier.

À côté de cela survivent, bien sûr, les vrais sportifs, les seuls qui en méritent l'appellation : ceux et celles qui font du vélo, de la natation, du ski, du jogging, du tennis... Ceux qui combattent justement l'attraction de la télévision dans leur vie personnelle et trouvent la volonté de briser l'hypnose apathique du petit écran.

CHAPITRE XIII

Tout n'est pas si noir...

Elle est violente non parce qu'elle montre des violences mais parce qu'à chaque fois, elle emplit de force la vue et qu'en elle, rien ne peut se refuser, ni se transformer.

Roland Barthes, au sujet de la photo [1]

L'AMPLEUR et l'évidence du réquisitoire que l'on dresse contre la télévision parlent d'elles-mêmes et c'est à chacun d'en tirer les conséquences, pour soi et son entourage. Par contre, il serait excessif de laisser entendre que la télévision telle qu'elle est utilisée — et non pas la télévision dans l'absolu ou idéale — serait le Grand Satan en personne installé au cœur de nos foyers! Laissons à d'autres le soin de louanger les vertus de quelque 30 heures passées chaque semaine devant le petit écran, mais mentionnons toutefois quelques points positifs qui ressortent du tableau d'ensemble de la télévision dans notre société.

Par exemple, il est évident que regarder la télévision constitue une activité douce et écologique. Le fonctionnement de la télévision ne pollue aucunement l'environnement — au sens de la contamination chimique. Quant à la pollution psychique... Pendant qu'un individu se livre à cette occupation « pépère », il ne s'adonne pas à des activités souvent plus agressives envers notre biosphère (comme conduire une motoneige). Occupation tranquille et non violente, la télévision cause rarement des accidents, contrairement à la chasse, la boxe ou la conduite automobile.

Rien n'est plus économique que la télévision, à part le sommeil. Quelques sous pour l'électricité et vous voilà en route pour une soirée peu coûteuse, presque avaricieuse ! Les coûts du récepteur, amortis sur des milliers d'heures d'utilisation et sur plusieurs années, sont remarquablement bas. Même si vous êtes abonné au câble ou au réseau satellite, la dépense demeure fort acceptable. En fait, peu de passe-temps ou d'activités ménagent autant le portefeuille ; nul doute que cela contribue beaucoup à son succès phénoménal.

Drogue amortissante, la télévision apparaît comme un médicament économe et efficace pour bien des gens. Une soirée de télévision fait oublier les tracas, les frustrations et les misères de la vie quotidienne. Au fil des longues heures d'écoute, les problèmes financiers ou familiaux se diluent un peu. La télévision distille l'oubli de la vie âpre et aide à avaler ses frustrations. Il n'est pas étonnant que les personnes malades, âgées et pauvres soient celles qui consomment le plus de télévision.

Quelque part dans son prodigieux monologue, Marcel Proust soutient qu'il n'existe aucune peine d'amour qu'un vrai bon repas ne puisse faire oublier au moins quelques instants. Il en va de même pour la télévision : aucun souci de la vie ne résiste entièrement à l'effet dissolvant de son tourbillon d'images et à l'attrait de son univers magique.

Certains déploreront justement la passivité résignée qu'entraîne cette drogue puisque, au lieu de régler ses problèmes, on les oublie devant son téléviseur. Certes, aucune révolution personnelle ou sociétale ne surgira jamais d'un monde dominé par la télévision, car elle est très — trop — efficace comme drogue d'oubli et de refuge contre la vie brute : elle fait figure d'éteignoir radical. Elle est le couvercle posé sur toute contestation des mal logés, des mal nantis, des mal baisés, des « mal dans leur peau », des mal administrés, des mal payés, des malheureux...

Puisqu'elle retient les individus pendant de si longues heures devant l'écran, l'attirance magnétique de la télévision peut renforcer une certaine cohésion familiale. Par rapport aux années 1950, dernière époque précédant la Grande Invasion de la télévision, on constate que les membres de la famille demeurent plus à la maison qu'auparavant. Il y a 30 ans, le père et les enfants plus âgés sortaient très souvent (par exemple, pour rencontrer des amis à la taverne ou pratiquer des sports en groupe). Ces comportements semblent avoir régressé.

Dans le désert démographique actuel, les familles constituées de deux ou trois personnes voient-elles leur cohésion interne renforcée par les séances de télévision ? La limite est vite atteinte, comme le montrent les réserves précédemment émises :

- Regarder la télévision en famille laisse un sentiment de solitude individuelle puissant et plus profond que la cohésion de surface ;
- Les enquêtes démontrent que la télévision réduit les contacts de la famille avec le monde extérieur.

Lorsque la situation financière le permet, la tendance nette est de doter chaque membre de la famille de son téléviseur personnel, regardé évidemment dans une pièce séparée. Le tête-à-tête solitaire est conforme à la nature de la télévision.

Sous un autre angle, la télévision permet à une foule de gens un accès facile à des œuvres de qualité du cinéma mondial. En effet, malgré le comportement sauvage des publicitaires qui charcutent généralement les œuvres cinématographiques en tranches fines pour y introduire des messages publicitaires, le petit écran demeure un média porteur, à l'occasion, d'œuvres artistiques de valeur, bien qu'il faille les cueillir parmi quantité de navets.

S'il est vrai que la qualité de la diffusion en salle demeure supérieure à la télédiffusion, tant pour l'image que pour le son, cela ne représente qu'une différence marginale pour de nombreuses personnes, d'autant que le DVD et la vision panoramique améliorent considérablement cette qualité.

La télévision diffuse des informations de toutes sortes et fait fonction de porteuse de savoir. Cela étant, nombreuses sont les réserves que nous avons déjà exprimées sur le sujet : une heure d'information télévisée équivaut à peine à un court article de revue en termes de densité de l'information. Une bonne part de celle-ci est anecdotique, spectaculaire, superficielle et donc plus divertissante qu'utile. Récemment encore, on a vérifié que prendre connaissance du *New York Times* du samedi exigeait 24 heures complètes de lecture à haute voix, à la vitesse des nouvelles lues à la radio ou diffusées à la télévision — et sans les publicités ! Malgré tout, des informations passent, particulièrement lorsque l'image raconte vite et sans détour.

Enfin, il y a toujours ces 5 % d'émissions mieux faites que les autres, qui sacrifient moins aux supposés impératifs de racolage grossier dans lequel patauge le reste de la production. Celles-là sauvent un peu l'honneur, mais sont une denrée rare pour des auditoires généralement clairsemés et sont diffusées à des heures souvent barbares ! Des perles perdues dans un tas de pacotille...

Finalement, on se doit de pointer l'exception : l'utilisation sage de la télévision, non pas tant par la sélection de contenus de qualité, que par une fréquentation limitée. Une poignée d'heures de télévision appliquée à des émissions sélectionnées, voilà qui ne suscite ni l'indignation ni les hauts cris du pamphlétaire.

CHAPITRE XIV

Des mots à l'acte

Et je sais la main nue qui se pose
Sur mon cou.
J'ai su à genoux
La beauté d'une rose.

À mourir pour mourir, chanson de Barbara

DANS NOTRE VIE, il faudra davantage qu'un livre pour remettre la télévision à sa place. Que sont l'audience et la force de frappe d'un écrit face aux rugissements furieux des images télévisées ? Faut-il jeter la serviette et avouer à l'avance l'inutilité de toute remise en cause de la télévision ? Ou bien peut-on encore espérer... sans toutefois entretenir d'illusions ?

La seule manière dont nous pouvons, individuellement, éprouver un résultat tangible, est d'entreprendre une démarche active et exigeante qu'on peut résumer ainsi : « Je suis en train de diminuer ma consommation de télévision. »

Diminuer, car il serait imbécile de jeter son téléviseur par la fenêtre et de couper radicalement le contact avec un média aussi important. Nulle part dans ce texte, il n'est question de condamner de façon absolue l'existence de la télévision, car ses méfaits essentiels proviennent de l'usage abusif que nous en faisons davantage que de sa nature.

Diminuer, car la force de l'habitude et du conditionnement télévisuel est si prenante qu'on peut seulement espérer s'aménager progressivement quelques heures de liberté à l'encontre de l'esclavage du système. But modeste et réaliste, on en conviendra.

Le projet est ambitieux, nous nous attaquons à gros : à une industrie puissante, à un mode de vie, à une forme d'esprit, à une pieuvre aux mille bras s'agitant dans tous les recoins de notre vie quotidienne et là où on s'y attend le moins. Disons-le sans illusion ni prétention : si à la suite de la lecture de ce livre, quelques lecteurs et lectrices sautent à l'occasion une soirée de télévision, ou si quelques autres l'écourtent un peu, alors l'effort en aura valu la peine.

Combien exactement ?

Afin de prendre conscience de l'importance de votre consommation télévisuelle, commencez par l'estimer de façon objective. Souvenez-vous des convergences des enquêtes : 80 % des gens écoutent la télévision entre 20 et 30 heures par semaine. Et vous ? Pouvez-vous vous souvenir du temps que vous avez consacré à la télévision ces sept derniers jours ? De quelle heure à quelle heure avez-vous regardé le petit écran hier, avant-hier, et ainsi de suite ? Remplissez ce petit tableau, sachant que le jour 1 correspond à hier :

Jour 1 : ___ heures
Jour 2 : ___ heures
Jour 3 : ___ heures
Jour 4 : ___ heures
Jour 5 : ___ heures
Jour 6 : ___ heures
Jour 7 : ___ heures
Total : ___ heures

Vous avez terminé ? Maintenant, reprenez votre estimation avec un horaire de télévision en main. Puisque toutes les enquêtes démontrent qu'on sous-estime grandement son temps d'écoute, il faut refaire vos calculs mais de façon plus serrée !

Les chiffres bruts que vous obtenez mesurent partiellement l'envahissement de la télévision. Comme le disait le chroniqueur Albert Brie, « si on voyait mieux la télévision, on la regarderait moins [1] ».

Une expérience révolutionnaire

Coup d'éclat ! Ce soir, tentez une grande expérience. En accord avec les autres habitants de la maison, n'ouvrez pas la télévision... sans sortir en ville, sans inviter des amis, sans aller au lit. Vivez simplement votre soirée à domicile en évitant l'effet de « réduction » que la télévision opère sur vous. Facile ? Vous aurez à combattre des années de conditionnement et de réflexes acquis par une longue déformation :

la paresse de tourner le bouton du récepteur et de se laisser aller... Que faire à la place ? À vous de le trouver !

Tournez en rond dans la maison, jouez aux cartes, attaquez-vous à la chambre que vous voulez repeindre depuis un an, jouez avec le chat, lisez enfin ce livre acheté depuis six mois, bricolez, téléphonez à un vieil ami, concoctez un plat terrible, étudiez l'horaire de télévision du lendemain... n'importe quoi ! L'ampleur de votre liberté retrouvée vous étonnera, une fois passée l'angoisse des heures à occuper par soi-même, en dehors des décrets de la télé !

Pour ressentir durant 24 heures l'effet de la drogue télévisuelle, lancez-vous dans l'abstinence pure et dure. Le contraire de la télévision manipulatrice, ce n'est pas la télévision pédagogique. C'est l'absence de télévision. Que les manipulations de la télé trouvent devant elles le vide absolu, selon la bonne vieille technique de la terre brûlée.

Au quotidien

Une fois que vous aurez expérimenté une journée libérée de la télévision, il vous restera à trouver pour vous-même et au jour le jour les trucs et recettes qui vous permettront de mieux contrôler l'attraction télévisuelle. La première et essentielle exigence pour y parvenir est simplement d'y prêter attention et d'avoir l'esprit en éveil dans les moments où la télévision vous happe. Notez-les et remarquez-les.

À ce propos, il est certain que tous les trucs développés pour contrôler la consommation de cigarettes ou d'alcool — qu'on nomme des procédés de déconditionnement — sont transposables pour l'univers de la drogue télévisuelle.

De fait, la désintoxication télévisuelle est un secteur de recherche plutôt vierge, et chacun doit se débrouiller avec ses propres moyens pour trouver des prises efficaces qui lui permettront de s'en sortir dans le contexte particulier qui est le sien. Essayez toutefois les trucs suivants — sachant qu'ils ne peuvent soutenir qu'une volonté déjà arrêtée. Il vous restera ensuite à en bricoler de meilleurs, adaptés à votre environnement et à votre mode de vie.

– Installez un télésablier pour visualiser le total de vos heures de consommation de télévision. Collez près de votre écran une simple feuille quadrillée et notez chaque heure d'écoute par un X dans une case. Persévérez dans vos notations durant un mois complet. Cette recette simple vous dotera d'un avertisseur de satiété. Quand vous aurez accumulé 30 heures de télévision dans un même mois, ce sera pour vous l'alerte jaune ! Après 40 heures, la cote d'alerte rouge sera en vigueur ! Vous avez atteint un seuil critique de consommation : à vous de réagir ! Cet essai de visualisation du temps passé devant la télévision ne prend son sens que si chaque habitant de la maison y participe.

- Ce soir, au lieu d'allumer la télé, choisissez les deux meilleurs disques ou cassettes de votre collection et écoutez-les tranquillement, avec attention, sans y mêler d'autres activités. Vous aurez alors remplacé l'œil par l'oreille.
- Après le souper, s'il fait beau, sortez hardiment et marchez au hasard des rues, sans vous presser. Regardez simplement les gens et les maisons... Vous habiterez alors l'espace qu'habituellement vous parcourez.
- L'instrument de musique dont vous ne jouez plus depuis longtemps, vous souvenez-vous où vous l'avez rangé ? Un soir par semaine, tenez le téléviseur à distance et redécouvrez la flûte, le piano ou la guitare enfouis au sous-sol... ou encore les pinceaux et les tubes de couleur achetés autrefois !
- Choisissez toujours vos émissions au préalable dans la grille horaire et ne regardez que celles-là. Ah ! le courage admirable de fermer le récepteur sans savoir à quoi ressemble l'émission qui suit !
- Les enfants sont les plus vulnérables par rapport à la télévision. Ils sont les premiers à tourner le bouton, entraînant souvent les autres. Il vous faudra les déconditionner en même temps que vous. Lancez-vous avec eux dans d'autres activités. Selon leur âge, ressortez les jeux de cartes, de Monopoly, d'échecs, de dames, de billard et autres jeux de société qui gisent dans les placards. Dégager dans la maison un certain niveau d'activité et de relations interpersonnelles suffit à rendre la télévision terne et ennuyeuse... et il n'en faut pas beaucoup, croyez-le bien ! Souvenez-vous toujours que la télévision occupe essentiellement le terrain à défaut de concurrence.
- Évitez d'utiliser la télécommande, malgré sa facilité. Elle favorise le butinage d'une station à l'autre qui étire considérablement le temps passé devant la télévision. On ne regarde plus rien de précis, on voltige d'image en image dans une course sans fin vers une hypothétique « émission fantastique » qui ne survient jamais !

- Le sabotage ! De façon simple, chacun peut s'amuser à saboter de l'intérieur le système télévisuel dans ce qu'il a de pire et en son point le plus névralgique. Comment ? Si l'on vous interroge dans le cadre d'un sondage pour connaître vos heures d'écoute et vos émissions préférées, répondez n'importe quoi ! Que vous n'écoutez que la radio, que vous êtes passionné par les émissions religieuses diffusées la nuit, la chaîne des petites annonces ou celle de la météo. Piratez les mesures des cotes d'écoute et les sondages et vous ferez œuvre de civilisation. Vous minerez subtilement le cœur même de la forteresse de la télévision occidentale.

La défense collective

Au Canada, au Québec, en France et ailleurs, les rapports officiels sur les médias électroniques remplissent plusieurs rayons de bibliothèque. Leurs tables des matières suffisent à indiquer quelles sont les préoccupations des pouvoirs publics à l'égard de la télévision : la propriété financière des stations et leur rentabilité, la diversité des réseaux, le contenu autochtone, la crainte d'une invasion de productions étrangères — lisez « américaines » —, l'autonomie des salles d'information, les émissions dites éducatives, en plus de certaines angoisses quant aux contenus : violence, racisme, sexisme, pornographie, ou encore publicité destinée aux enfants.

À aucun moment, les auteurs de ces rapports ne s'inquiètent un tantinet de la surconsommation de télévision et de ses conséquences sur la société et sur les individus. La question ne les effleure jamais, et leur cheminement les conduit toujours, au contraire, à penser un monde télévisuel comportant davantage d'émissions, plus de chaînes et plus de moyens.

En d'autres termes, le point de vue évoqué dans les documents gouvernementaux est toujours celui des producteurs de télévision. Jamais les auteurs ne se mettent à la place du téléspectateur, en se demandant si ce déferlement d'émissions est sain, et s'il ne faudrait pas s'inquiéter d'un gavage aussi délirant. Pour les pouvoirs publics comme pour les financiers de la télévision, le téléspectateur d'aujourd'hui est une cruche possédant une capacité illimitée d'absorption.

Est-il normal que l'individu soit abandonné fin seul à l'influence impérieuse de la télévision ? Mouton dans l'arène aux fauves, chacun de nous affronte sans armure ni épée les millions de dollars des réseaux et de leurs organisations tentaculaires, alliés à la puissance naturelle du petit écran. Cela fait beaucoup. L'élan irrésistible de l'activité télévisuelle, ajouté à la manipulation publicitaire, emporte tout sur son passage. La meilleure volonté du monde est balayée. Sommes-nous donc condamnés à n'être que fétus de paille devant le raz-de-marée télévisuel ?

De fragiles associations de téléspectateurs tentent de créer un point de vue collectif face à un phénomène foncièrement segmenté et individualisant. Ailleurs, des pédagogues espèrent créer une race de meilleurs téléspectateurs avec des enfants éduqués à bien et mieux regarder la télévision. Le salut par l'éducation ! Souhaitons bonne chance à toutes ces initiatives résolument optimistes mais limitées.

Pour dépasser ce stade artisanal, ne faudrait-il pas que les pouvoirs publics, de la même façon qu'ils se sentent concernés par la drogue, le tabac ou l'alcool, dressent quelques lignes de défense collective entre le citoyen et la machine télévisuelle ? À n'en pas douter, la chose relève d'une hygiène sociétale qui prendra de plus en plus d'importance à l'avenir.

Rêvons et imaginons un gouvernement dont la sensibilité avant-gardiste s'inquiète des piètres performances scolaires des élèves — dont les études lui coûtent les yeux de la tête —, de l'état physique dégradé et de la piètre santé d'un nombre grandissant de personnes, de l'état du cinéma d'art et d'essai, de la condition flageolante de la démocratie, et de quelques autres « babioles » de la sorte. Un tel gouvernement pourrait poser quelques gestes, même timides, pour simplement laisser une chance à qui veut prendre quelques degrés de liberté d'avec sa télévision.

Imaginons encore quelques pas vers un nouvel équilibre télévision-société. Dans nos contrées de liberté personnelle quasi absolue, il n'est sûrement pas question de restreindre l'écoute de la télévision par des mesures légales. Seules des campagnes vigoureuses, basées sur la prise de conscience, peuvent sensibiliser les gens aux méfaits d'une trop longue exposition au petit écran. Comme ce fut le cas pour l'alcool ou le tabac, la responsabilité personnelle envers les conséquences de l'abus de télévision constitue la seule voie praticable.

L'État amorphe

Les divers gouvernements posent déjà des gestes administratifs dans le but de « maintenir » [*sic*] une certaine qualité dans le contenu des émissions. Ainsi, Radio-Canada et Télé-Québec sont grandement subventionnées. De façon générale, les pouvoirs publics imposent certaines exigences de contenu au moment de l'attribution des fréquences et des permis de diffusion. Mais tous les observateurs s'accordent à dire que les exigences en question sont trop basses, et surtout que l'application en est trop timide et chaotique, et qu'il n'existe pas de réelles sanctions à leur non-respect.

Cette timidité des États devant l'empire de la télévision provient d'une fausse crainte et d'une vraie réalité.

La fausse crainte est que l'État intervienne dans les contenus idéologiques de la télévision pour y vendre ses propres salades. On imagine déjà les censeurs nazis prenant possession de studios. De fait, compte tenu du nombre de chaînes et d'heures d'émissions diffusées chaque année, la menace d'ingérence étatique relève de la fantaisie la plus improbable. On joue à se faire peur, comme à l'époque mythique de l'unique station de radio d'un pays, diffusant trois heures par jour sous le contrôle d'un censeur militaire ! Plus réelle est la concentration de la propriété des stations de télévision, de radio et des journaux, autrement plus menaçante. On la nomme « convergence » pour en diminuer magiquement la portée.

La vraie réalité est que, dissimulés derrière l'épouvantail du contrôle de la merveilleuse télévision par le dangereux gouvernement, les patrons de la télévision abusent du privilège que leur donne leur outil économique, un privilège accordé par les pouvoirs publics. Plus que les fabricants d'autos ou de shampooings, ils manipulent une force explosive sans se priver d'en extraire tout le potentiel en termes d'heures de publicité, d'argent et de contenu grossier. Tranquillement passe dans les mœurs l'idée que ces gens ont un droit de cuissage sur les ondes, qu'ils possèdent leurs chaînes comme on possède un terrain… voire que l'État n'a pas plus de place sur l'échiquier télévisuel que dans la chambre à coucher ! Voilà pourquoi les organismes publics chargés de réglementer la télévision refusent de voir au-delà du contenu, tournent autour du pot, bredouillent des généralités creuses et laissent échapper leurs fonctions premières. Pourtant, la situation présente exige que la télévision devienne un enjeu politique central et que les politiciens se prononcent sur les finalités et les modalités d'un secteur qui compte tellement pour l'avenir de notre société. Les financiers et les publicitaires qui ont monopolisé les ondes ont démontré amplement leurs limites.

Les artisans de la télévision

Devant ces constats d'abus liés à l'allongement indu des heures de télévisionnage, il serait dommage et injuste que ceux et celles qui œuvrent à fabriquer des émissions de télévision se sentent personnellement attaqués. Leur talent n'est pas en cause ; comme nous tous, ils sont victimes du broyage impitoyable que le système télévisuel impose, autant derrière les caméras que devant le récepteur. De fait, les artisans de la télévision ressentent davantage que le commun des télévores le détournement de vocation que leur média a subi, la dictature des cotes d'écoute, l'omniprésence des annonceurs, la réduction relative des budgets pour chaque émission, compte tenu de l'allongement de la production sur une centaine d'heures par semaine, et pour plusieurs réseaux, la dilution du talent dans un océan d'images mornes. Tout cela, les gens du métier le reconnaissent.

« On donne aux gens ce qu'ils demandent » est l'excuse passe-partout, alors que la réalité est : « Les gens finissent par se satisfaire de ce qu'on leur donne. » Si les téléspectateurs regardaient moins la télé, ils exigeraient plus de qualité, et celle-ci reprendrait le dessus sur la quantité, le manque d'intelligence, la bêtise organisée. Plus que tout, aucun mouvement de redressement, de nettoyage et de régénération de la télévision ne pourra s'opérer sans le concours des esprits honnêtes et francs du milieu.

Voici quelques pistes pour alimenter une réaction collective aux excès de la télévision. Car une poussée vers la relativisation de l'esprit télévisuel ne pourra avoir lieu et se maintenir sans une prise de conscience solide, muée en volonté et partagée par toute une population. En effet, le passage obligé vers une hygiène télévisuelle réside dans la saine réaction de ceux et celles qui, par leurs expériences personnelles, se seront convaincus des bienfaits du contrôle de leur temps d'écoute de la télé. Comme l'écologie ou la bonne forme physique ont leurs apôtres, on pourra alors espérer que l'hygiène télévisuelle suscite des adeptes et des promoteurs.

Les mouvements d'assainissement commencent toujours modestement et font boule-de-neige.

Conclusion
Retrouver la liberté du temps

Les millions de victimes de l'excès télévisuel ne doivent évidemment pas être jugées comme étant des esprits faibles, voire niais! D'abord, ce ne sont pas les « autres » qui se débattent avec leurs problèmes d'abus de télévision, car nous faisons tous partie de ce malheureux contingent: tous victimes et complices. Décréter qu'il faut condamner les uns ou les autres suivant des critères moraux nous ramène à une vision manichéenne opposant les « bons » et les « mauvais » que l'on doit éliminer parce qu'elle stérilise la prise de conscience.

Tout comme les fumeurs et les buveurs invétérés, les télédrogués sont aux prises avec des conditionnements objectifs, carrément pavloviens, qu'ils doivent combattre et briser sans que les pseudo-détenteurs de la Vérité les jugent en plus!

Les bonnes consciences

Depuis des décennies, les contenus de télévision ont suscité une littérature bien-pensante qui remplit des rayons entiers de bibliothèque. Il vaut la peine d'y jeter un coup d'œil pour se demander qui juge qui et au nom de quoi. À tort ou à raison, des « esprits d'élite » mènent contre ces contenus une croisade basée sur le dédain affiché pour le « pauvre peuple » manipulé par la grossièreté télévisée. À coup d'études et d'analyses, ils pourfendent la violence continuelle des émissions de télévision, les valeurs racistes et sexistes sous-jacentes, la manipulation des esprits par la publicité, le culte souterrain du capitalisme le plus sauvage et les stéréotypes épais développés mur à mur au long des soirées télévisées.

Cela n'est évidemment pas faux, et aucun être humain sensé ne peut honnêtement vanter le niveau de la programmation des télévisions occidentales ! Les optimistes expliquent piteusement qu'on peut faire mieux, alors que les pessimistes invitent à fermer les récepteurs. Dans les deux cas, on tient pour acquis que les téléspectateurs gobent béatement toutes les bêtises qui envahissent le petit écran. Comme si nul mécanisme de défense ou de recul n'existait dans l'esprit humain pour faire la part des choses dans la folie de violence, de romance sucrée et de valeurs criardes qui tissent le quotidien télévisuel.

Dieu merci, les gens n'absorbent pas les messages publicitaires comme de vulgaires éponges, ce que savent tous les publicitaires et ce que démontrent plusieurs études. Les individus opposent une résistance certaine à la manipulation publicitaire et s'en gaussent souvent.

Des sociologues comme Bourdieu et Passeron [1] prétendent que les notables de l'esprit, par leur rapport particulier à l'imaginaire, sont plus dupes que les autres devant les manipulations de la télévision. Quoi qu'il en soit, les analystes professionnels consacrent trop d'énergie à condamner les contenus de la télévision et pas assez à regarder la dépendance profonde où nous sommes tous tombés face à l'occupation télévisuelle. La différence est de taille. Par exemple, regarder 30 heures par semaine d'émissions hautement culturelles ne changerait strictement rien à l'esclavage que nous avons dénoncé ici. Mentionnons d'ailleurs que selon les enquêtes, le temps d'exposition à la télévision diminue à mesure que le niveau d'instruction augmente ; ainsi, les gens plus instruits contrôlent mieux l'écoute de la télévision dans leur vie quotidienne [2].

Télé et lecture

On ne s'attaque plus à la télévision pour les mêmes motifs qu'autrefois : pour combattre un envahisseur étranger ou parce qu'on préférait une forme de culture à une autre, soit la culture livresque, dont on craignait qu'elle ne soit en recul accéléré sous la poussée de la télévision. D'abord, contrairement aux idées reçues, la lecture est plus répandue qu'auparavant : on lit, écrit et publie plus de livres que jamais. Toutes les enquêtes convergent à ce propos et, quand on y pense, le contraire eût été surprenant avec l'élévation fulgurante du niveau d'instruction général des populations occidentales.

Pourquoi parle-t-on alors de recul de la culture livresque ? Parce que le culte du livre est en baisse, de même que le prestige social des artisans du livre. Le phénomène est donc assez subjectif, et un tel recul n'est pas en soi une catastrophe.

Qu'un média se substitue à un autre ou qu'une forme de pensée recule au profit d'une autre, voilà bien une constante de l'évolution humaine. Mais ce qui se passe sous nos yeux n'a aucun rapport avec une forme de pensée inédite, ni avec une culture de l'audiovisuel qui achèverait d'envahir tout l'Occident. De par son potentiel, la télévision aurait pu être un instrument de culture inestimable, dégusté à petites doses, enrichi de saveurs de qualité, d'art, de réflexion, de recherches esthétiques ou scientifiques... Mais la réalité est tout autre, et après avoir exploré les méandres pervers où se meut vraiment l'univers télévisuel, on doit constater l'irréfutable : il n'y a pas de culture télévisuelle... puisqu'on n'osera pas nommer culture ce ramassis d'insignifiances, d'images tape-à-l'œil et de publicités débiles qui décorent l'ordinaire d'une soirée de télévision.

D'ailleurs, une culture audiovisuelle forte et originale s'est développée justement en dehors de la télévision. Hommage à Fellini, Chaplin, Truffaut et les autres, alors qu'on serait en peine de nommer un seul créateur audiovisuel voué à la télévision ! Un grand réalisateur de télévision, cela fait spontanément appel à l'art de se mouvoir dans des contraintes inavouables, de se contorsionner entre les cotes d'écoute ou les publicités et d'accommoder le ragoût artistique de sauces plutôt pénibles.

Coupable ou complice ?

On aurait tort de considérer la télévision et l'usage qui en est fait comme les seuls coupables des tares de société dont la description nous horrifie. Ce serait réduire nos propos à la caricature. La télévision n'est évidemment pas l'unique cause de tous les péchés du monde moderne. Par contre, on doit constater que la fascination du petit écran joue un rôle dans presque chacune de ces perversions psychologiques et sociales. Malgré ses airs d'être là par hasard, rares sont les problèmes sociaux d'aujourd'hui où l'esclavage télévisuel ne participe pas à titre de rouage central. Bien qu'il cultive l'art de se faire oublier, on en retrouve la trame active dans beaucoup trop de détériorations de notre qualité de vie pour qu'on puisse encore l'ignorer ou, pire, la minimiser. Son importance grandissante brille dès qu'on aligne les faits objectivement.

Au fond, cette « charge » contre la présence dictatoriale de la télévision dans notre vie personnelle ne comporte pas vraiment d'éléments neufs et surprenants, compte tenu des milliers d'observations effectuées à ce sujet par les praticiens des sciences humaines. Mais si on les rassemble et qu'on en tire les conséquences, on mesure vraiment l'ampleur des dégâts causés, qui dépassent la commisération exprimée du bout des lèvres et le clin d'œil complice avec lesquels on traite habituellement notre relation à la télévision.

Reprenons notre analogie avec le tabac : dans les années 1950, lorsqu'un type lançait : « je fume trop », le soupir demeurait en surface et sans suites véritables. Depuis ce temps, les connaissances médicales relatives aux effets du tabac sur les poumons et le système cardiovasculaire, et surtout la prise de conscience de ces effets parmi la population, ont dépouillé de toute innocence une réflexion du genre ; les gens ont pour ainsi dire touché du doigt la perversité du plaisir de la cigarette, le « petit plaisir qui tue ». Les fumeurs d'aujourd'hui poursuivent leur habitude sans naïveté et sans illusion : fumer est devenu un risque transparent et rempli d'angoisses.

Il devrait en aller de même du risque de l'écoute télévisuelle : qu'on ne regarde plus innocemment la télévision, avec toute l'inconscience de ceux qui grillaient une cigarette dans les années 1950. Que ses effets pervers sur la vie de la société et des individus deviennent apparents, et qu'on cesse de parler innocemment de nos longues stations devant le petit écran ; que la fascination automatique de l'image télévisuelle soit perçue pour ce qu'elle est : une drogue insidieuse qui dissimule son jeu et qui joue à ne pas être ce qu'elle est. La télévision veut se faire oublier, et cela, malgré son omniprésence dans l'organisation de nos vies.

À la recherche du temps volé

L'envahissement de nos journées par la télévision est un phénomène autant objectif (mesurable en nombre d'heures) que subjectif (ressenti confusément par chaque individu). Mais attention ! Comme nous le savons, notre relation à la télévision est faite de faux-fuyants et se ment à elle-même, comme pour tous les rapports de dépendance.

En conséquence, la perte de notre temps utile causée par la drogue télévisuelle se transforme aisément en mauvaise conscience.

Bien sûr, nous manquons tous de temps. Agenda et montre en main, nous courons derrière lui pour escalader la montagne de choses que nous voulons accomplir, jour après jour. Dans cette course absurde, nous ne parvenons jamais à réduire le fossé entre ce que nous avons fait de notre temps et ce que nous aurions pu en faire. « Je n'ai pas trouvé le temps de... » est l'aveu le plus frustrant et le plus bête qui soit, parce que ce temps existe et nous a filé entre les doigts.

À une époque où nous travaillons moins d'heures et moins d'années que nos ancêtres, où des machines de toute sorte nous font économiser du temps — nous déplacent, lavent, frottent, cuisent, coupent et ramassent plus rapidement —, voilà que nous disposons paradoxalement de moins de temps que nos parents ! Matière volatile, la maîtrise de notre temps personnel semble fuir comme l'horizon devant le cavalier. Cela mérite réflexion, car « nous réfléchissons bien plus à l'emploi de notre argent, renouvelable, qu'à celui de notre temps, irremplaçable[3] ».

Dans cette ronde d'espoir et de frustration, on oublie trop souvent d'en accuser un des principaux artisans : le temps évanoui devant la télévision, dévoreuse de minutes et d'heures. Effectivement, ce paquet d'heures mal utilisées, cachées sous notre attirance forcenée pour la télévision, recèle un trésor libérateur : 20 à 30 heures par semaine dorment, enfouies silencieusement à l'intérieur de notre vie ordinaire, attendant la clé simple pour qu'on les réveille et qu'on les récupère. Une clé qui s'appelle : tourner le bouton du récepteur télé[4] !

La manière dont nous utilisons notre temps, heure par heure et même minute par minute, détermine finalement ce à quoi nous utilisons notre vie. Impossible de construire quelque chose à long terme — une carrière, une famille, une œuvre, un meuble, une habileté — sans que ce soit la résultante d'une utilisation intelligente des heures qui nous sont imparties. L'inverse consiste à se laisser errer au gré des heures, comme un bouchon mené par le premier courant venu et livré à tous les coups de vent. En somme, passer à côté d'une gestion rigoureuse de son horaire personnel débouche sur le chaos et la dérive.

Dans toute biographie d'un être qui a réussi une œuvre forte, il est frappant de constater que, toujours, l'organisation du temps charpente sa vie. Savant ou peintre — Van Gogh ou Einstein —, industriel ou personnalité politique — Ford ou de Gaulle —, leurs points communs résident au moins dans une économie des heures et des jours, une gestion volontaire du temps disponible permettant de se concentrer sur des œuvres et des obsessions.

Chacun de nous a ressenti cette impression frustrante et fuyante de ne jamais réussir à accomplir toutes les tâches auxquelles il souhaitait s'atteler. Trop souvent, on va au lit le soir, déçu de laisser tant de choses en suspens, de n'avoir pas accompli telle démarche, de ne pas avoir trouvé le temps de lire tel livre, d'aller voir tel film, de ranger tel coin de la maison, de téléphoner à tel ami, de repeindre tel mur. Comme la marée, chaque jour apporte son lot de petites et de grandes choses à faire, qui demeurent trop souvent et trop longtemps inachevées autour de nous...

De fait, certaines études de psychiatrie ont fait ressortir que le sentiment d'accumulation des « choses à faire » joue quelquefois d'élément déclencheur à des dépressions névrotiques : on développe alors la hantise de ces montagnes insurmontables qui écrasent la vie quotidienne et accusent le soi-disant coupable de ne pas être à la hauteur. Ainsi, la dérive du ménage domestique est un des premiers signes de dépression profonde chez beaucoup de gens. Pourtant, c'est bien en ressentant cette frustration permanente du temps perdu que la majorité des gens regardent entre 20 et 30 heures de télévision par semaine. Se pourrait-il qu'on se cache à soi-même le lien pourtant évident entre la télévision qui avale les heures de notre vie et la course incessante aux heures qui « manquent » pour qu'on se sente satisfait de sa journée ?

Cet anodin « passe-temps », comme on le dénomme pudiquement, que prétend être la télévision, ne serait-il pas précisément le chant des sirènes qui nous détourne chaque jour des activités que, naturellement, nous ferions ? La télévision devient cette tentation permanente, comme un aimant qui pèse sur la gestion de chaque heure de notre vie, particulièrement à l'intérieur de la maison.

En contrôlant son temps de télévision, chacun peut retrouver comme par magie un temps abondant pour réaliser des choses qui lui tiennent bien plus à cœur que de voir la fin de *Virginie* ou d'assister à la millième poursuite d'autos de sa carrière de téléspectateur. Contrôler son temps télévisuel ouvre des portes insoupçonnées et magiques : le temps redevient cette donnée disponible qu'on modèle à sa guise, au lieu de se faire imposer des rythmes par la programmation dictatoriale (de telle heure à telle heure, telle émission, avec ses coupures publicitaires). En fait, il s'agit de retrouver la liberté du temps, le contraire du passe-temps « goulag » dans lequel la télévision nous enferme. Ce n'est pas peu.

De deux choses l'une : ou vous dominez votre téléviseur ou il vous domine. Insidieuse, bien déguisée sous des gestes anodins et superficiels, la dictature télévisuelle ne se laissera pas facilement renverser. Qu'on ne croie pas y parvenir en un tournemain ; ce n'est pas plus facile que de se débarrasser de l'esclavage de l'alcool ou de la cigarette. Dompter le fauve télévisuel exige toutes vos forces et votre attention. Cet être qui parasite votre existence, comme un ver invisible, ne se laisse pas éliminer sans résistance...

Il serait déplorable et décourageant qu'une prise de conscience individuelle des excès de la télévision — la vôtre ! — ne se traduise que par une vague satisfaction ; un réveil doit s'ensuivre, incarné dans des gestes concrets. Prendre conscience et déplorer constituent les premières étapes d'une entreprise de correction qui devrait logiquement se prolonger. Chacun doit se sentir la responsabilité morale de poser des gestes dans cette vaste reprise en main de la télévision.

Malgré l'ampleur de la dépendance à la télévision, on ne doit pas baisser les bras et laisser faire. En 1960, la quasi-totalité de la population adulte s'adonnait à la cigarette. Les premiers qui donnèrent l'alerte le firent malgré leur position terriblement minoritaire. La valeur d'une démarche ne se mesure jamais — Dieu merci ! — au nombre de gens à convaincre. Si tel était le cas, Galilée, Jé[illegible] Mahomet auraient fait autre chose...

De qui viendra cette réaction de saine hygiène psychosociale [illegible] tous les côtés, nécessairement. Le rééquilibrage nécessaire ne peut provenir que d'une conjugaison d'efforts. Autant les téléspectateurs que les artisans de terrain de la télévision, autant les pouvoirs publics que l'école devront pousser à la roue de ce réveil face à l'influence pernicieuse de la télévision.

Étant tous coupables de l'état de dégradation de nos vies, aucun de nous n'a à se sentir personnellement responsable de faiblesses inavouables, ni à avoir honte de ses relations pécheresses avec son récepteur. Notre volonté ou notre personnalité n'est pas en cause, car chacun de nous fait face, seul et désarmé, à une agression gigantesque sur son psychisme, son temps personnel et ses aspirations naturelles.

Ce déferlement rugissant de la télévision n'a pas de précédent historique, et notre désarroi personnel doit conduire à une union stratégique avec nos semblables, qui pataugent dans la même soupière que nous. À ce prix, nous pourrions prédire, avec un raisonnable optimisme, un réveil salutaire pour notre société.

La Gorgone

De la pièce d'où elle régente la vie des habitants de la maison, la télévision creuse autour d'elle un vide profond — psychologique et social — comme si elle aspirait l'énergie humaine: attraction impérialiste qui envahit tout, magnétisant l'espace autour d'elle en le dédiant à un seul usage totalitaire. Cette manière sournoise de faire taire les conversations de la maison, d'attirer tous les regards, de captiver les esprits et de tenir les relations humaines en suspens répand une odeur de dictature indéniable: si quelqu'un tentait d'en faire autant en figeant son entourage dans cet attentisme silencieux et morose, ce serait aussitôt le tollé général.

Le halo lumineux du téléviseur accentue la solitude profonde des êtres humains. La nature de la télévision commande l'écoute en solitaire, dans un face-à-face sec et désertique avec l'appareil. En ce sens, la télévision fragmente les groupes humains, les familles, les amitiés, et corrode les liens; sa lueur détruit la richesse des relations humaines et les capacités infinies du cerveau humain.

L'atmosphère télévisuelle défavorise directement une vie pleine et déployée, et exhale autour de ses images oniriques une odeur de mort, comme des radiations maléfiques. Plus loin que le mouvement des images commence le royaume incertain de la mort de l'esprit et du corps.

L'espérance sacrifiée

Fermé sur lui-même, l'acte de regarder la télévision ne procède d'aucune autre inspiration ou démarche que le conditionnement le plus bête et la gratification immédiate du stress issu d'un temps trop disponible. Dans cette activité morte et désolée, nous enchaînons notre liberté comme si elle nous pesait trop: au sens propre, la télévision constitue un dérivatif de la vie agissante, celle où l'on choisit de poser des gestes et d'assumer des conséquences. En fait, il n'est jamais rien arrivé à qui que ce soit devant sa télévision.

La lucarne télévisuelle nie ainsi la vie, le temps et l'espace. Et à quel prix: celui de l'espérance sacrifiée. En effet, regarder la télévision est un recommencement sans fin: chaque jour, des océans d'émissions quasi identiques se mettent en mouvement, défilent devant nos yeux pour réapparaître, à peine différentes, dans l'heure ou la journée suivante. À la télévision, rien n'évolue vraiment; on y ressasse les mêmes publicités, les mêmes bagarres, les mêmes poursuites, les mêmes meurtres, les mêmes romances, dans un univers entièrement refermé sur lui-même qui, si on y pense bien, suinte le désespoir le plus profond. Dans ce cloaque d'images, personne ne peut évoluer de manière positive, de la même façon que les émissions ne sont évidemment pas meilleures de jour en jour.

L'amélioration n'a pas sa place en terrain télévisuel: le futur y sera à peine différent d'aujourd'hui. Au-delà de quelques échappées, la télévision répète toujours le même petit paquet de phrases et de scènes, qui donne pourtant si bien l'illusion d'ouvrir sur le grand monde… Mais ce sont les mondes des arts, de la pensée, de la politique, du commerce, de la finance, du sport ou de la cuisine qui bougent vraiment, qui vivent et évoluent de façon dynamique. Celui de la télévision, toujours sous ses airs d'être à la fine pointe en tout, tue quotidiennement le futur en en faisant une sempiternelle répétition du passé.

L'évolution des choses, c'est-à-dire l'action du temps sur la réalité, constitue la texture même de l'espérance humaine — l'espoir que la vie ira mieux dans le futur. Délirante ou ancrée dans le réel, l'espérance est notre raison de vivre, le moteur de notre machine psychique. À force de déverser, des milliers d'heures durant, ses illusions mortes et ses clichés stratifiés, son flot d'images en mouvement sur le vide le plus stérile, la télévision écorche à vif le ressort délicat qui fait vibrer le petit quartz humain.

Notes

Introduction

1. Jean-Louis Missika et Dominique Wolton, *La folle du logis,* Paris, Flammarion, 1988.

Chapitre premier

1. Marshall McLuhan, *Pour comprendre les médias*, Montréal, HMH, 1968.
2. Lewis Mumford, *Techniques et civilisations,* Paris, Seuil, 1950.

Chapitre II

1. Statistique Canada, automne 2001.
2. Ministère de la Culture et des Communications du Québec, L*es pratiques culturelles des Québécoises et des Québécois*, enquête, 1999, tableau 1.
3. Conseil des directeurs médias du Québec, *Média 2004 : guide annuel*, Montréal, Infopresse, p. 40.
4. *Ibid.*
5. Selon Nielsen Media Research, 2000. Cité dans Barry Kiefl, « Tendances de la programmation télévisuelle internationale et de ses auditoires », *Canadian Media Research,* mai 2003, p. 13 et 55.
6. Par exemple, l'enquête du ministère de la Culture évalue à 18,9 heures par semaine l'écoute récente de la télévision des 15 ans et plus au Québec, contre 23,8 heures pour Statistique Canada.

7. Le livre de Christian Vandendorpe, *Du papyrus à l'hypertexte,* Montréal, Boréal, 1999, est consacré aux particularités de l'hypertexte.
8. Christian Vandendorpe, *op. cit.*, p. 10.
9. À moins de briser brutalement la linéarité d'une émission en « pitonnant » (zapping). L'enregistrement vidéo, permettant de sauter des sections, comme les publicités, peut quelquefois atténuer cette linéarité brute.
10. Ministère de la Culture et des Communications du Québec, *op. cit.*, tableau 239.
11. Ministère de la Culture et des Communications du Québec, *op. cit.*, tableau 13.

Chapitre III

1. *Le Devoir*, 10 janvier 1990.
2. Hubert Lafont, « Les téléâtres », dans *La télévision, une affaire de famille*, revue *Autrement*, janvier 1982.
3. *La Presse,* 29 octobre 1988.

Chapitre IV

1. Jean-Paul Sartre, *L'imaginaire*, Paris, Gallimard, 1940.
2. C. Fischler, *Le Monde de l'éducation*, n° 11, 1979.
3. Jerry Mander dans *La télévision, une affaire de famille*, *op. cit.*, p. 113.

Chapitre V

1. Jean Baudrillard, *La société de consommation*, Paris, Denoël, 1970.
2. Estelle Lebel, *Contact,* Université Laval, hiver 2004.
3. Bernard Arcand, *Contact, op.cit.*
4. Michel Rivard, *La Presse*, 9 novembre 2003.
5. Maria Winn, *TV Drogue*, Paris, Fleurus, 1979.
6. *Ibid.*
7. Jacques Godbout, *Le murmure marchand,* Montréal, Boréal, 1989.

Chapitre VI

1. Statistique Canada, *Enquête sur la santé dans les collectivités,* 2003.
2. *Journal of American Medical Association,* juin 2004.

Chapitre VII

1. G. Lipovetsky, « Zappeur sans reproche », *Le Point*, 21 mars 1988, p. 69.
2. Gérard Mermet, *Francoscopie 89*, Paris, Larousse, 1988.
3. *La télévision, une affaire de famille*, *op.cit.*, p. 213.

4. Henry Shapiro, Académie américaine de pédiatrie, cité dans *La Presse*, 31 octobre 2003.
5. Cité dans Enrique Melon-Martinez, *La télévision dans la famille et la société modernes*, Verviers, Gérard & Cie, 1969, et Hubert Lafont, *op. cit.*
6. *La télévision, une affaire de famille, op.cit.*, p. 213.
7. Henry Shapiro, *op. cit.*
8. *Ibid.*
9. N. Carlsson-Parge et D. Levin, *Education Week*, 15 février 1989.
10. A. Marsolais, *Les activités extrascolaires des élèves du primaire*, rapport d'enquête pour le Conseil supérieur de l'éducation, mai 1988.
11. *La Presse*, 26 août 2004.

Chapitre VIII

1. *Le Point*, 2 décembre 1987.
2. Cité dans *Ça m'intéresse*, août 2003.

Chapitre IX

1. *La télévision, une affaire de famille, op.cit.*, p. 113.
2. Sondage Gallup cité dans *Le Devoir*, 28 juillet 1988.
3. Neil Postman, *L'Express*, 10 juin 1988.
4. Céline Therrien, *Le Devoir*, 19 novembre 1988.

Chapitre X

1. Jean Baudrillard, *op.cit.*
2. Si on remonte plus loin dans le temps, les mêmes commentaires auraient pu s'appliquer à la série *Monsieur le ministre*.
3. Voir l'étude de Roger-Gérard Schwartzenberg, *L'État spectacle*, Paris, Flammarion, 1977.
4. Marshall McLuhan, *op. cit.*
5. *L'événement du jeudi*, août 1990.
6. Robert Hornik, professeur à l'Annenberg School of Communications, cité dans *Education Week*, 17 décembre 1988, p. 23.
7. *Sciences et vie*, août 1985.
8. Étude de Gilles Dussault citée dans *Le Devoir*, 29 septembre 1988.
9. *Le Point*, 7 septembre 1986.
10. *The Gazette*, 1er février 1989.

Chapitre XI

1. Cette commission fut mandatée par le gouvernement français sur cette question. Voir *Le Soleil*, 18 novembre 2002.
2. Cité dans *L'Événement du jeudi*, août 1990.
3. Paul Simon, « Reducing violence on television », *Education Week*, 4 octobre 1989.
4. Voir par exemple les considérations de Jean Cazeneuve dans *Les pouvoirs de la télévision*, Paris, Gallimard, 1970.
5. Jacques de Guise, « La télévision, un bouc émissaire », *Contact*, hiver 1993.
6. Paul Simon, *op.cit.*
7. Cité dans *The Globe and Mail*, 7 août 1993.
8. Cité dans *Le Devoir*, 30 octobre 2003.
9. Paul Simon, *op.cit.*
10. Cité dans Paul Simon, *op.cit.*

Chapitre XII

1. René Victor Pilhes, *L'événement du jeudi,* 7 septembre 1989.

Chapitre XIII

1. Cité dans *La télévision, une affaire de famille, op.cit.*, p. 54.

Chapitre XIV

1. Albert Brie, *Le mot du silencieux,* Montréal, Fides, 1978.

Conclusion

1. Pierre Bourdieu et Jean-Claude Passeron, « Sociologie des mythologies et mythologies des sociologues », *Les Temps modernes*, décembre 1963.
2. *Le comportement des Québécois en matière d'activités culturelles de loisir,* Direction de la recherche et de la statistique, ministère des Affaires culturelles, 1990.
3. Jean-Louis Servan-Schreiber, *L'Art du temps,* Paris, Fayard, 1983.
4. Jean-Claude Jay-Rayon, « Pour prendre le temps d'être mieux », *Québec-Science,* 1983.

Les Éditions Écosociété

De notre catalogue

Propagande, médias et démocratie

NOAM CHOMSKY
ET ROBERT W. MCCHESNEY

TRADUIT DE L'ANGLAIS PAR LIRIA ARCAL
PRÉFACE DE COLETTE BEAUCHAMP

Dans cet ouvrage, Noam Chomsky et Robert W. McChesney (professeur à la Faculté de communication de l'Université de l'Illinois), démontent, dans deux textes succincts mais non moins percutants, le système dans lequel nous vivons et le rôle qu'y jouent les médias.

Dans « Les exploits de la propagande », Chomsky retrace l'histoire contemporaine de l'influence de la propagande sur la formation de l'opinion publique. Dans « Les géants des médias : une menace pour la démocratie », Robert W. McChesney relate l'histoire du système des médias américains qui soumet aujourd'hui l'information, le journalisme et la population à un oligopole d'intérêts financiers et commerciaux.

ISBN 2-921561-49-2
202 pages

Citoyens sous surveillance

FRANÇOIS FORTIER

Les technologies de l'information et de la communication et la nouvelle économie dont elles sont le fer de lance constituent-elles une occasion unique de libération ou un mirage servant les desseins de ceux qui mènent le monde ?

Dans *Citoyens sous surveillance*, François Fortier examine le développement de ces technologies et explore les façons dont elles sont utilisées pour assujettir les travailleurs, manipuler les consommateurs et accroître la prédominance des médias et des entreprises. L'auteur soutient qu'elles polarisent le pouvoir économique et politique puisqu'elles sont gérées en fonction des intérêts des entreprises et des États.

Il existe cependant des formes et des utilisations parallèles des technologies de l'information et de la communication qui sont encouragées par les mouvements sociaux progressistes depuis une vingtaine d'années. Dans cette perspective, Fortier propose une nouvelle économie politique de ces technologies, qui faciliterait la démocratie plutôt que d'y faire obstacle.

ISBN 2-921561-76-X
128 pages

Ralentir

JOHN D. DRAKE

PRÉFACE DE SERGE MONGEAU

Vous en avez assez de travailler douze heures par jour et voulez réduire votre train de vie ? Vous craignez les conséquences d'une telle décision ? Vous aspirez à une vie plus satisfaisante ? Vous souhaitez consacrer plus de temps à votre vie personnelle et familiale mais ne savez pas trop comment y arriver ?

Ralentir vous aidera à sortir du tourbillon, à troquer votre vie trépidante contre un mode de vie moins exclusivement centré sur le travail et plus épanouissant. Certes, le travail peut être une expérience positive : il peut favoriser l'estime de soi, procurer un sentiment d'accomplissement et même contribuer à définir notre identité. Cependant, il en est du travail comme des autres aspects de la vie : dépendre d'une seule chose pour combler nos besoins psychologiques réduit les possibilités de trouver le contentement.

Vous apprendrez des façons de réduire votre train de vie tout en menant une belle vie, de convaincre vos employeurs que le changement que vous voulez effectuer peut s'avérer profitable pour l'entreprise, de surmonter les peurs qui risquent de vous tenailler au moment de prendre votre décision. *Ralentir* vous indiquera tout ce que vous devez faire pour trouver plus de temps libre, non seulement pour vous-même mais pour les personnes que vous aimez le plus au monde.

ISBN 2-921561-60-3
160 pages

La voie de la simplicité

Pour soi et la planète

MARK A. BURCH

TRADUIT DE L'ANGLAIS PAR
GENEVIÈVE BOULANGER ET FRANÇOISE FOREST

Depuis un certain temps, on assiste à l'éveil grandissant de la population quant aux effets pervers du surtravail et de la surconsommation. Pour contrer ces phénomènes, il n'y a pas mille solutions : aussi, les gens sont-ils de plus en plus nombreux à s'engager dans une démarche de simplicité volontaire. *La voie de la simplicité* s'inscrit dans ce vaste mouvement de société.

Comme l'explique Mark A. Burch, la simplicité volontaire n'est pas une fin, mais un moyen. Dans le tumulte incessant de la société de consommation, les gens sont emportés dans un tourbillon d'obligations, d'influences et de compétition qui accaparent tout leur temps. Or, on a besoin de temps pour se pencher sur les vraies questions et pour donner un sens à sa vie.

Cet ouvrage renseignera les nombreuses personnes intriguées par la simplicité volontaire ; il aidera aussi celles qui ont déjà amorcé une démarche en ce sens à poursuivre leur réflexion et à approfondir leur choix. La simplicité volontaire permet de commencer à agir ici et maintenant, pour améliorer son propre sort, celui de la collectivité et celui de la planète tout entière.

ISBN 2-921561-84-0
237 pages

La belle vie

Nouvelle édition

SERGE MONGEAU

Tous souhaitent faire « la belle vie », tous veulent être heureux, tous cherchent le bonheur. Mais... prend-on les bons moyens pour y arriver? La société de consommation offre de multiples biens à acquérir, une foule de services et une grande variété de moyens d'évasion. Cependant, bien des gens découvrent aujourd'hui qu'on ne peut tout attendre de la consommation, que la voie de la simplicité volontaire leur ouvre des portes vers un plus grand épanouissement, mais aussi qu'il ne suffit pas de simplifier sa vie pour trouver le bonheur. C'est donc à une réflexion plus globale que Serge Mongeau a voulu donner accès en écrivant *La belle vie*.

« Je suis un homme heureux. J'ai maintenant une assez longue expérience de la vie pour en tirer certains enseignements. Sans prétendre à la sagesse suprême, il me semble que bien des gens pourraient bénéficier de ma réflexion. »

L'auteur invite donc le lecteur à chercher avec lui diverses voies pour trouver le bonheur : vivre le moment présent, aimer, prendre le temps de vivre, jouer, se rapprocher de la nature, donner un sens à sa vie, simplifier sa vie, cultiver sa vie intérieure et s'investir dans des actions significatives pour changer ce qui n'est plus acceptable.

ISBN 2-923165-01-2
130 pages

La simplicité volontaire, plus que jamais...

SERGE MONGEAU

« Quand je pense aux conséquences négatives de la société d'abondance, je pense à la vie de tous les jours, à la santé, au travail, à l'amour, à la communauté, au bonheur, tout cela qui ne s'achète pas ou, quand on croit pouvoir l'acheter, coûte finalement trop cher, car on doit sacrifier le meilleur de sa vie à gagner de quoi le payer.

« Pour ma part, il y a longtemps que j'ai découvert que "le système" [...] nous enferme, individuellement et collectivement, dans une cage qui nous laisse de moins en moins de choix véritables et de vraie liberté. Que les barreaux de la cage soient dorés ne change rien à la réalité profonde de l'aliénation de ses prisonniers. »

ISBN 2-921561-39-5
272 pages

Bien commun recherché

Une option citoyenne

FRANÇOISE DAVID

Le 14 octobre 2000, lors du rassemblement final de la Marche mondiale des femmes au Québec, Françoise David lance une idée: « Peut-être devrions-nous mettre au monde une alternative politique féministe et de gauche ? » Trois ans et beaucoup de réflexion plus tard, Option citoyenne voit le jour. Ce rassemblement d'environ 200 progressistes souhaite l'élargissement des forces politiques de gauche dans un parti qui présentera des candidatures aux prochaines élections québécoises.

Bien commun recherché explore des pistes de changement vers une société plus juste, plus égalitaire, plus écologique. Sont énoncées ici les valeurs progressistes, féministes, écologistes et altermondialistes qui animent Françoise David et les membres d'Option citoyenne. L'auteure soulève des questions sur la démocratie, la culture, la question nationale, l'économie, la distribution de la richesse, l'État et les services publics.

Un autre Québec est-il possible ? Oui, répond Françoise David, et ce, malgré les contraintes posées par la mondialisation néolibérale et la lutte nécessaire pour en venir à bout.

ISBN 2-923165-05-5
109 pages

Désir d'humanité

Le droit de rêver

RICCARDO PETRELLA

Les concepts de « bien commun » et de « bien public » sont en voie de disparition. De plus en plus, le caractère sacré de la vie et les droits universels sont relégués au domaine de la rêverie, alors que le pragmatisme du monde des affaires, la primauté accordée à la « rationalité » de la finance, la foi sans bornes dans la science et la technologie dominent le monde occidental. Il n'y a plus de droits collectifs, il n'y a que des intérêts individuels, surtout ceux des plus riches, des plus forts et des plus compétitifs.

Voici un voyage au cœur de deux univers bien humains, le premier peuplé par des rêves de richesse, de puissance, le second par des rêves de paix, d'amitié, de justice, de liberté. Le monde d'aujourd'hui est dominé par le premier d'entre eux. Le deuxième n'a guère droit de cité. Ceux qui ont le pouvoir économique, politique et militaire ont confisqué le droit de rêver d'humanité : rêver d'amitié, de fraternité, de justice, de bien-être collectif, de démocratie, de sécurité dans la solidarité et dans le respect de tous. *Désir d'humanité* constitue un plaidoyer en faveur de la reconquête de ce droit.

ISBN 2-923165-03-9
208 pages

La grande fumisterie

Les transnationales à l'assaut de la démocratie

MURRAY DOBBIN

TRADUIT DE L'ANGLAIS PAR GENEVIÈVE BOULANGER

Les États sont en train de perdre leur capacité à servir la population, et ce, au profit de leur nouveau maître : la grande entreprise transnationale. Ayant pour objectif de maximiser les profits de leurs actionnaires dans un contexte où la plupart des entraves à l'investissement sont en voie d'être abolies, ces entreprises font peu de cas de la culture, de l'environnement et des lois des pays où elles sont installées. Elles sont d'ailleurs devenues, au fil des années, aussi puissantes que de nombreux États et y ont acquis un statut de « super-citoyennes » sans précédent.

Au Canada, ce phénomène a pris de l'ampleur dès les années 1980 avec l'Accord de libre-échange canado-américain, puis dans les années 1990 avec l'entrée en vigueur de l'ALENA. Ces traités ont peu à voir avec le commerce : ils constituent plutôt une « charte des droits » des entreprises leur permettant d'empêcher les gouvernements d'agir à l'encontre de leurs intérêts. Murray Dobbin pose son regard sur les stratégies utilisées par les grandes sociétés pour accroître leur influence.

ISBN 2-921561-66-2
438 pages

L'envers de la pilule

Les dessous de l'industrie pharmaceutique

J.-CLAUDE ST-ONGE

À l'heure où le public se pose de plus en plus de questions sur l'avenir de notre système de santé et l'augmentation sans cesse croissante de la part des médicaments dans les dépenses de santé, *L'envers de la pilule* est un ouvrage incontournable.

S'appuyant sur une recherche poussée et possédant une plume alerte, J.-Claude St-Onge, brosse un tableau clair des dessous de l'industrie pharmaceutique. Dans cette synthèse, il dévoile l'envers sombre et alarmant des pratiques de cette industrie et montre comment elle est devenue, au cours des dernières décennies, la plus rentable de toutes.

Son analyse porte entre autres sur les profits colossaux et en constante progression de cet empire financier, les brevets et le monopole des médicaments, les essais cliniques, la recherche et développement, le marketing, la médicalisation des événements de la vie ou l'art de forger des pathologies, les nouveaux médicaments qui n'en sont pas véritablement, trop chers et moins efficaces que les vieilles pilules, les médicaments dangereux, les médicaments plus ou moins utiles. En excellent vulgarisateur, il illustre son propos d'exemples probants.

ISBN 2-923165-09-8
228 pages

Faites circuler nos livres.

Discutez-en avec d'autres personnes.

Si vous avez des commentaires, faites-les-nous parvenir ; il nous fera plaisir de les communiquer aux auteurEs et à notre comité éditorial.

Les Éditions Écosociété
C.P. 32052, comptoir Saint-André
Montréal (Québec)
H2L 4Y5

Courriel : info@ecosociete.org
Toile : www.ecosociete.org

NOS DIFFUSEURS

EN AMÉRIQUE

Diffusion Dimédia inc.
539, boulevard Lebeau
Saint-Laurent (Québec) H4N 1S2
Téléphone : (514) 336-3941
Télécopieur : (514) 331-3916

EN FRANCE ET EN BELGIQUE

DG Diffusion
ZI de Bogues
31750 Escalquens
Téléphone : 05 61 00 09 99
Télécopieur : 05 61 00 23 12
Courriel : dg@dgdiffusion.com

EN SUISSE

Servidis S.A.
Chemin des Chalets
1279 Chavannes-de-Bogis
Téléphone et télécopieur : 022 960 95 25
Courriel : commandes@servidis.ch

Achevé d'imprimer en février 2012 par les travailleurs et les travailleuses de l'imprimerie Gauvin, Gatineau (Québec), sur papier certifié Éco Logo contenant 100 % de fibres post-consommation.